GIL VICENTE

O AUTO DA BARCA DO INFERNO E OUTRAS HISTÓRIAS

GIL VICENTE

Esta é uma publicação Principis, selo exclusivo da Ciranda Cultural

Texto
Gil Vicente

Revisão
Project Nine Editorial

Produção e projeto gráfico
Ciranda Cultural

Imagens
Morphart Creation/Shutterstock.com;
Golden Shrimp/Shutterstock.com;
UlMi/Shutterstock.com

Dados Internacionais de Catalogação na Publicação (CIP) de acordo com ISBD

V632a Vicente, Gil, 1465-1536

O auto da barca do Inferno / Gil Vicente. - Jandira, SP : Principis, 2019.
224 p. ; 15,5cm x 22,6cm. - (Clássicos da literatura mundial)

Inclui índice.
ISBN: 978-85-380-9219-3

1. Literatura portuguesa. I. Título. II. Série.

CDD 869
2019-1976 CDU 821.134.3

Elaborado por Vagner Rodolfo da Silva - CRB-8/9410

Índice para catálogo sistemático:
1. Literatura brasileira 869
2. Literatura brasileira 821.134.3

1ª edição em 2019
www.cirandacultural.com.br

SUMÁRIO

O AUTO DA BARCA DO INFERNO

Auto de moralidade composto por Gil Vicente por contemplação da sereníssima e muito católica rainha Lianor, nossa senhora, e representado por seu mandado ao poderoso príncipe e mui alto rei Manuel, primeiro de Portugal deste nome.

Começa a declaração e argumento da obra. Primeiramente, no presente auto, se figura que, no ponto que acabamos de espirar, chegamos subitamente a um rio, o qual per força havemos de passar em um de dous batéis que naquele porto estão, *scilicet*, um deles passa para o paraíso e o outro para o inferno: os quais batéis tem cada um seu arrais na proa: o do paraíso um anjo, e o do inferno um arrais infernal e um companheiro.

O primeiro interlocutor é um Fidalgo que chega com um Paje, que lhe leva um rabo mui comprido e uma cadeira de espaldas. E começa o Arrais do Inferno ante que o Fidalgo venha.

Diabo À barca, à barca, houlá!
que temos gentil maré!
– Ora venha o carro a ré!

Companheiro Feito, feito!
Bem está!
Vai tu muitieramá,
e atesa aquele palanco
e despeja aquele banco,
para a gente que virá.
À barca, à barca, hu-u!
Asinha, que se quer ir!
Oh, que tempo de partir,
louvores a Belzebu!
– Ora, sus! Que fazes tu?
Despeja todo esse leito!

Companheiro Em boa hora!
Feito, feito!

Diabo Abaixa aramá esse cu!
Faze aquela poja lesta
e alija aquela driça.

Companheiro Oh-oh, caça!
Oh-oh, iça, iça!

Diabo Oh, que caravela esta!
Põe bandeiras, que é festa.
Verga alta! Âncora a pique!
– Ó poderoso dom Anrique,
cá vindes vós?... Que cousa é esta?...

Vem o Fidalgo e, chegando ao batel infernal, diz:

Fidalgo Esta barca onde vai ora,
que assi está apercebida?

Diabo Vai pera a ilha perdida,
e há-de partir logo ess'ora.

Fidalgo Pera lá vai a senhora?

Diabo Senhor, a vosso serviço.

Fidalgo Parece-me isso cortiço...

Diabo Porque a vedes lá de fora.

Fidalgo Porém, a que terra passais?

Diabo Pera o Inferno, senhor.

Fidalgo Terra é bem sem-sabor.

Diabo Quê?... E também cá zombais?

Fidalgo E passageiros achais
pera tal habitação?

Diabo Vejo-vos eu em feição
para ir ao nosso cais...

Fidalgo Parece-te a ti assi!...

Diabo Em que esperas ter guarida?

Fidalgo Que leixo na outra vida
quem reze sempre por mi.

Diabo Quem reze sempre por ti?!..
Hi, hi, hi, hi, hi, hi, hi!...
E tu viveste a teu prazer,
cuidando cá guarnecer
por que[1] rezam lá por ti?!...
Embarca – ou embarcai...
que haveis de ir à derradeira!
Mandai meter a cadeira,
que assi passou vosso pai.

Fidalgo Quê? Quê? Quê? Assi lhe vai?!

Diabo Vai ou vem! Embarcai prestes!
Segundo lá escolhestes,
assi cá vos contentai.
Pois que já a morte passastes,
haveis de passar o rio.

Fidalgo Não há aqui outro navio?

Diabo Não, senhor, que este fretastes,
e primeiro que expirastes
me destes logo sinal.

Fidalgo Que sinal foi esse tal?

Diabo Do que vós vos contentastes.

Fidalgo A estoura barca me vou.
Hou da barca! Para onde is?
Ah, barqueiros! Não me ouvis?
Respondei-me! Houlá! Hou!...

1 Para esta obra foi adotada a regra dos "porquês" do português brasileiro.

(Pardeus, aviado estou!
Cant'a isto é já pior...)
Oue jericocins, salvador!
Cuidam cá que são eu grou?

Anjo Que quereis?

Fidalgo Que me digais,
pois parti tão sem aviso,
se a barca do Paraíso
é esta em que navegais.

Anjo Esta é; que demandais?

Fidalgo Que me leixeis embarcar.
Sou fidalgo de solar,
é bem que me recolhais.

Anjo Não se embarca tirania
neste batel divinal.

Fidalgo Não sei por que haveis por mal
que entre a minha senhoria...

Anjo Para vossa fantasia
mui estreita é esta barca.

Fidalgo Pera senhor de tal marca
nom há aqui mais cortesia?
Venha a prancha e atavio!
Levai-me desta ribeira!

Anjo Não vindes vós de maneira
pera entrar neste navio.

Ess'outro vai mais vazio:
a cadeira entrará
e o rabo caberá e todo vosso
senhorio.

Ireis lá mais espaçoso,
vós e vossa senhoria,
cuidando na tirania
do pobre povo queixoso.
E porque, de generoso,
desprezastes os pequenos,
achar-vos-eis tanto menos
quanto mais fostes fumoso.

Diabo À barca, à barca, senhores!
Oh! Que maré tão de prata!
Um ventozinho que mata
e valentes remadores!

Diz, cantando:

Vós me veniredes a la mano,
a la mano me veniredes.

Fidalgo Ao Inferno, todavia!
Inferno há i pera mi?
Oh triste! Enquanto vivi
não cuidei que o i havia:
Tive que era fantasia!
Folgava ser adorado,
confiei em meu estado
e não vi que me perdia.
Venha essa prancha!
Veremos esta barca de tristura.

Diabo Embarque vossa doçura,
que cá nos entenderemos…
Tomarês um par de remos,
veremos como remais,
e, chegando ao nosso cais,
todos bem vos serviremos.

Fidalgo Esperar-me-ês vós aqui,
tornarei à outra vida
ver minha dama querida
que se quer matar por mi.

Diabo Que se quer matar por ti?!…

Fidalgo Isto bem certo o sei eu.

Diabo Ó namorado sandeu,
o maior que nunca vi!…

Fidalgo Como pod'rá isso ser,
que m'escrevia mil dias?

Diabo Quantas mentiras que lias,
e tu… morto de prazer!…

Fidalgo Para que é escarnecer,
quem nom havia mais no bem?

Diabo Assi vivas tu, amém,
como te tinha querer!

Fidalgo Isto quanto ao que eu conheço…

Diabo Pois estando tu expirando,
se estava ela requebrando
com outro de menos preço.

Fidalgo Dá-me licença, te peço,
que vá ver minha mulher.

Diabo E ela, por não te ver,
despenhar-se-á dum cabeço!
Quanto ela hoje rezou,
entre seus gritos e gritas,
foi dar graças infinitas
a quem a desassombrou.

Fidalgo Cant'a ela, bem chorou!

Diabo Nom há i choro de alegria?...

Fidalgo E as lástimas que dizia?

Diabo Sua mãe lhas ensinou...
Entrai, meu senhor, entrai:
Ei la prancha! Ponde o pé...

Fidalgo Entremos, pois que assi é.

Diabo Ora, senhor, descansai,
passeai e suspirai.
Em tanto virá mais gente.

Fidalgo Ó barca, como és ardente!
Maldito quem em ti vai!

Diz o Diabo ao Moço da cadeira:

Diabo Nom entras cá! Vai-te d'i!
A cadeira é cá sobeja;
cousa que esteve na igreja
nom se há-de embarcar aqui.
Cá lhe darão de marfim,
marchetada de dolores,
com tais modos de lavores,
que estará fora de si...

À barca, à barca, boa gente,
que queremos dar à vela!
Chegar ela! Chegar ela!
Muitos e de boa mente!
Oh! que barca tão valente!

Vem um Onzeneiro, e pergunta ao Arrais do Inferno, dizendo:

Onzeneiro Para onde caminhais?

Diabo Oh! Que má hora venhais,
Onzeneiro, meu parente!
Como tardastes vós tanto?

Onzeneiro Mais quisera eu lá tardar...
Na safra do apanhar
me deu Saturno quebranto.

Diabo Ora mui muito m'espanto
nom vos livrar o dinheiro!...

Onzeneiro Solamente para o barqueiro
nom me leixaram nem tanto...

Diabo Ora entrai, entrai aqui!

Onzeneiro Não hei eu i d'embarcar!

Diabo Oh! Que gentil recear,
e que cousas para mi!...

Onzeneiro Ainda agora faleci,
leixa-me buscar batel!

Diabo Pesar de Jam Pimentel!
Por que não irás aqui?...

Onzeneiro E pera onde é a viagem?

Diabo Pera onde tu hás de ir.

Onzeneiro Havemos logo de partir?

Diabo Não cures de mais linguagem.

Onzeneiro Mas para onde é a passagem?

Diabo Para a infernal comarca.

Onzeneiro Diz! Nom vou eu tal barca.
Est'outra tem avante

Vai-se à barca do Anjo, e diz:

Hou da barca! Houlá! Hou!
Haveis logo de partir?

Anjo E onde queres tu ir?

Onzeneiro Eu pera o Paraíso vou.

Anjo Pois cant'eu mui fora estou
de te levar para lá.
Ess'outra te levará;
vai para quem te enganou!

Onzeneiro Por quê?

Anjo Porque esse bolsão
tomará todo o navio.

Onzeneiro Juro a Deus que vai vazio!

Anjo Não já no teu coração.

Onzeneiro Lá me fica, de rondão,
minha fazenda e alhea.

Anjo Ó onzena, como és feia
e filha de maldição!

Torna o Onzeneiro à barca do Inferno e diz:

Onzeneiro Houlá! Hou! Demo barqueiro!
Sabês vós no que me fundo?
Quero lá tornar ao mundo
e trazer o meu dinheiro.
que aqueloutro marinheiro,

porque me vê vir sem nada,
dá-me tanta borregada
como arrais lá do Barreiro.

Diabo Entra, entra, e remarás!
Nom percamos mais maré!

Onzeneiro Todavia…

Diabo Per força é!
Que te pês, cá entrarás!
Irás servir Satanás,
pois que sempre te ajudou.

Onzeneiro Oh! Triste, quem me cegou?

Diabo Cal'te, que cá chorarás.

Entrando o Onzeneiro no batel, onde achou o Fidalgo embarcado, diz tirando o barrete:

Onzeneiro Santa Joana de Valdês!
Cá é vossa senhoria?

Fidalgo Dá ó demo a cortesia!

Diabo Ouvis? Falai vós cortês!
Vós, fidalgo, cuidareis
que estais na vossa pousada?
Dar-vos-ei tanta pancada
com um remo que renegueis!

Vem Joane, o Parvo, e diz ao Arrais do Inferno:

Parvo Hou daquesta!

Diabo Quem é?

Parvo Eu soo.
É esta a naviarra nossa?

Diabo De quem?

Parvo Dos tolos.

Diabo Vossa.
Entra!

Parvo De pulo ou de voo?
Hou! Pesar de meu avô!
Soma, vim adoecer
e fui má hora morrer,
e nela, para mi só.

Diabo De que morreste?

Parvo De quê?
Samicas de caganeira.

Diabo De quê?

Parvo De caga merdeira!
Má rabugem que te dê!

Diabo Entra! Põe aqui o pé!

Parvo Houlá! Nom tombe o zambuco!

Diabo Entra, tolaço eunuco,
que se nos vai a maré!

Parvo Aguardai, aguardai, houlá!
E onde havemos nós d'ir ter?

Diabo Ao porto de Lucifer.

Parvo Ha-á-a…

Diabo Ó Inferno! Entra cá!

Parvo Ó Inferno?… Era má…
Hiu! Hiu! Barca do cornudo.
Pêro Vinagre, beiçudo,
rachador d'Alverca, huhá!
Sapateiro da Candosa!
Antrecosto de carrapato!
Hiu! Hiu! Caga no sapato,
filho da grande aleivosa!
Tua mulher é tinhosa
e há-de parir um sapo
chantado no guardanapo!
Neto de cagarrinhosa!

Furta cebolas! Hiu! Hiu!
Excomungado nas erguejas!
Burrela, cornudo sejas!
Toma o pão que te caiu!
A mulher que te fugiu
Per'a Ilha da Madeira!
Cornudo atá mangueira,
toma o pão que te caiu!

Hiu! Hiu! Lanço-te uma pulha!
Dê-dê! Pica naquela!
Hump! Hump! Caga na vela!
Hio, cabeça de grulha!
Perna de cigarra velha,
caganita de coelha,
pelourinho da Pampulha!
Mija n'agulha, mija n'agulha!

Chega o Parvo ao batel do Anjo e diz:

Parvo Hou da barca!

Anjo Que me queres?

Parvo Queres-me passar além?

Anjo Quem és tu?

Parvo Samica alguém.

Anjo Tu passarás, se quiseres;
porque em todos teus fazeres
per malícia nom erraste.
Tua simpleza t'abaste
pera gozar dos prazeres.
Espera entanto per i:
veremos se vem alguém,
merecedor de tal bem,
que deva de entrar aqui.

Vem um Sapateiro com seu avental e carregado de formas, e chega ao batel infernal, e diz:

Sapateiro Hou da barca!

Diabo Quem vem i?
Santo sapateiro honrado,
como vens tão carregado?...

Sapateiro Mandaram-me vir assim...
E pera onde é a viagem?

Diabo Para o lago dos danados.

Sapateiro Os que morrem confessados
onde têm sua passagem?

Diabo Nom cures de mais linguagem!
Esta é a tua barca, esta!

Sapateiro Renegaria eu da festa
e da puta da barcagem!
Como poderá isso ser,
confessado e comungado?!...

Diabo Tu morreste excomungado:
Nom o quiseste dizer.
Esperavas de viver,
calaste dous mil enganos...
Tu roubaste bem trint'anos
o povo com teu mester.
Embarca, era má para ti,
que há já muito que t'espero!

Sapateiro Pois digo-te que nom quero!

Diabo Que te pês, hás de ir, si, si!

Sapateiro Quantas missas eu ouvi,
nom me hão elas de prestar?

Diabo Ouvir missa, então roubar,
é caminho per'aqui.

Sapateiro E as ofertas que darão?
E as horas dos finados?

Diabo E os dinheiros mal levados,
que foi da satisfação?

Sapateiro Ah! Nom praza ó cordovão,
nem à puta da badana,
se é esta boa traquitana
em que se vê Jan Antão!
Ora juro a Deus que é graça!

Vai-se à barca do Anjo, e diz:

Hou da santa caravela,
poderês levar-me nela?

Anjo A carrega t'embaraça.

Sapateiro Nom há mercê que me Deus faça?
Isto sequer irá.

Anjo Essa barca que lá está
Leva quem rouba de praça.
Oh! Almas embaraçadas!

Sapateiro Ora eu me maravilho
haverdes por grão peguilho
quatro forminhas cagadas
que podem bem ir chantadas
num cantinho desse leito!

Anjo Se tu viveras direito,
Elas foram cá escusadas.

Sapateiro Assi que determinais
que vá cozer ó Inferno?

Anjo Escrito estás no caderno
das ementas infernais.

Torna-se à barca dos danados, e diz:

Sapateiro Hou barqueiros! Que aguardais?
Vamos, venha a prancha logo
e levai-me àquele fogo!
Não nos detenhamos mais!

Vem um Frade com uma Moça pela mão, e um broquel e uma espada na outra, e um casco debaixo do capelo; e, ele mesmo fazendo a baixa, começou dançar, dizendo:

Frade Tai-rai-rai-ra-rã; ta-ri-ri-rã;
ta-rai-rai-rai-rã; tai-ri-ri-rã:
tã-tã; ta-ri-rim-rim-rã. Huhá!

Diabo Que é isso, padre?! Que vai lá?

Frade *Deo gratias!* Som cortesão.

Diabo Sabês também o tordião?

Frade Por que não? Como ora sei!

Diabo Pois entrai! Eu tangerei
e faremos um serão.
Essa dama é ela vossa?

Frade Por minha lá tenho eu,
e sempre a tive de meu,

Diabo Fizestes bem, que é formosa!
E não vos punham lá grosa
no vosso convento santo?

Frade E eles fazem outro tanto!

Diabo Que cousa tão preciosa…
Entrai, padre reverendo!

Frade Para onde levais gente?

Diabo Pera aquele fogo ardente
que nom temestes vivendo.

Frade Juro a Deus que nom t'entendo!
E este hábito não me vai?

Diabo Gentil padre mundanal,
a Belzebu vos encomendo!

Frade Corpo de Deus consagrado!
Pela fé de Jesus Cristo,

que eu nom posso entender isto!
Eu hei de ser condenado?!...
Um padre tão namorado
e tanto dado à virtude?
Assi Deus me dê saúde,
que eu estou maravilhado!

Diabo Não curês de mais detença.
Embarcai e partiremos:
tomareis um par de ramos.

Frade Nom ficou isso n'avença.

Diabo Pois dada está já a sentença!

Frade Pardeus! Essa seria ela!
Não vai em tal caravela
minha senhora Florença.

Como? Por ser namorado
e folgar com uma mulher
se há um Frade de perder,
com tanto salmo rezado?!...

Diabo Ora estás bem aviado!

Frade Mais estás bem corrigido!

Diabo Devoto padre marido,
haveis de ser cá pingado...

Descobriu o Frade a cabeça, tirando o capelo; e apareceu o casco, e diz o Frade:

Frade Mantenha Deus esta c'oroa!

Diabo Ó padre Frei Capacete!
Cuidei que tínheis barrete...

Frade Sabê que fui da pessoa!
Esta espada é roloa
e este broquel, rolão.

Diabo Dê Vossa Reverenda lição
d'esgrima, que é cousa boa!

Começou o Frade a dar lição d'esgrima com a espada e broquel, que eram d'esgrimir, e diz desta maneira:

Frade *Deo gratias!* Demos caçada!
Pera sempre contra sus!
Um fendente! Ora sus!
Esta é a primeira levada.
Alto! Levantai a espada!
Talho largo, e um revés!
E logo colher os pés,
que todo o al no é nada!

Quando o recolher se tarda
o ferir nom é prudente.
Ora, sus! Mui largamente,
cortai na segunda guarda!
– Guarde-me Deus d'espingarda
mais de homem denodado.
Aqui estou tão bem guardado
como a palha n'albarda.

Saio com meia espada...
Hou lá! Guardai as queixadas!

Diabo Oh que valentes levadas!

Frade Ainda isto nom é nada...
Demos outra vez caçada!
Contra sus e um fendente,
e, cortando largamente,
eis aqui sexta feitada.

Daqui saio com uma guia
e um revés da primeira:
esta é a quinta verdadeira.
– Oh! quantos daqui feria!...
Padre que tal aprendia
no Inferno há de haver pingos?!...
Ah! Nom praza a São Domingos
com tanta descortesia!

Tornou a tomar a Moça pela mão, dizendo:

Frade – Vamos à barca da Glória!

Começou o Frade a fazer o tordião e foram dançando até o batel do Anjo desta maneira:

Frade Ta-ra-ra-rai-rã; ta-ri-ri-ri-rã;
rai-rai-rã; ta-ri-ri-rã; ta-ri-ri-rã.
Huhá!

Deo gratias! Há lugar cá
pera minha reverenda?

E a senhora Florença
polo meu entrará lá!

Parvo Andar, muitieramá!
Furtaste esse trinchão, Frade?

Frade Senhora, dá-me à vontade
que este feito mal está.
Vamos onde havemos d'ir!
Não praza a Deus coa a ribeira!
Eu não vejo aqui maneira
senão, enfim, concrudir.

Diabo Haveis, padre, de vir.

Frade Agasalhai-me lá Florença,
e compra-se esta sentença:
ordenemos de partir.

Tanto que o Frade foi embarcado, veio uma Alcoviteira, per nome Brízida Vaz, a qual chegando à barca infernal, diz desta maneira:

Brízida Hou lá da barca, hou lá!

Diabo Quem chama?

Brízida Brízida Vaz.

Diabo E aguarda-me, rapaz?
Como nom vem ela já?

Companheiro Diz que nom há-de vir cá
sem Joana de Valdês.

Diabo Entrai vós, e remarês.

Brízida Nom quero eu entrar lá.

Diabo Que saboroso arrecear!

Brízida No é essa barca que eu cato.

Diabo E trazês vós muito fato?

Brízida O que me convém levar.
Dia. Que é o que havês d'embarcar?

Brízida Seiscentos virgos postiços
e três arcas de feitiços
que nom podem mais levar.

Três almários de mentir,
e cinco cofres de enlheos,
e alguns furtos alheos,
assi em joias de vestir,
guarda-roupa d'encobrir,
enfim – casa movediça;
um estrado de cortiça
com dous coxins d'encobrir.
A mor carrega que é:
essas moças que vendia.
Daquestra mercadoria
trago eu muita, à bofé!

Diabo Ora ponde aqui o pé…

Brízida Hui! E eu vou para o Paraíso!

Diabo E quem te dixe a ti isso?

Brízida Lá hei-de ir desta maré.
Eu sô uma martela tal!...
Açoutes tenho levados
e tormentos suportados
que ninguém me foi igual.
Se fosse ó fogo infernal,
lá iria todo o mundo!
A estoutra barca, cá fundo,
me vou, que é mais real.

Chegando à Barca da Glória diz ao Anjo:

Barqueiro mano, meus olhos,
prancha a Brízida Vaz.

Anjo Eu não sei quem te cá traz...

Brízida Peço-vo-lo de giolhos!
Cuidais que trago piolhos,
anjo de Deos, minha rosa?
Eu sô aquela preciosa
que dava as moças a molhos,

a que criava as meninas
para os cônegos da Sé...
Passai-me, por vossa fé,
meu amor, minhas boninas,
olho de perninhas finas!
E eu som apostolada,
angelada e martelada,
e fiz cousas mui divinas.

Santa Úrsula nom converteu
tantas cachopas como eu:
todas salvas polo meu
que nenhuma se perdeu.
E prouve Àquele do Céu
que todas acharam dono.
Cuidais que dormia eu sono?
Nem ponto se me perdeu!

Anjo Ora vai lá embarcar,
não estês importunando.

Brízida Pois estou-vos eu contando
o porquê me haveis de levar.

Anjo Não cures de importunar,
que não podes vir aqui.

Brízida E que má hora eu servi,
pois não me há de aproveitar!...

Torna-se Brízida Vaz à Barca do Inferno, dizendo:

Brízida – Hou barqueiros da má hora,
que é da prancha, que eis me vou?
E já há muito que aqui estou,
e pareço mal cá de fora.

Diabo – Ora entrai, minha senhora,
e sereis bem recebida;
se vivestes santa vida,
vós o sentirês agora...

Tanto que Brízida Vaz se embarcou, veo um Judeu, com um bode às costas; e, chegando ao batel dos danados, diz:

Judeu Que vai cá? Hou marinheiro!

Diabo Oh! que má hora vieste!...

Judeu Cuj'é esta barca que preste?

Diabo Esta barca é do barqueiro.

Judeu Passai-me por meu dinheiro.

Diabo E o bode há cá de vir?

Judeu Pois também o bode há-de vir.

Diabo Que escusado passageiro!

Judeu Sem bode, como irei lá?

Diabo Nem eu nom passo cabrões.

Judeu Eis aqui quatro tostões
e mais se vos pagará.
Por vida do Semifará
que me passeis o cabrão!
Querês mais outro tostão?

Diabo Nem tu nom hás de vir cá.

Judeu Por que nom irá o judeu
onde vai Brízida Vaz?

Ao senhor meirinho apraz?
Senhor meirinho, irei eu?

Diabo E o fidalgo, quem lhe deu…

Judeu O mando, dizês, do batel?
Corregedor, coronel,
castigai este sandeu!
Azará, pedra miúda,
lodo, chanto, fogo, lenha,
caganeira que te venha!
Má corrença que te acuda!
Par el Deu, que te sacuda
coa beca nos focinhos!
Fazes burla dos meirinhos?
Dize, filho da cornuda!

Parvo Furtaste a chiba cabrão?
Parecês-me vós a mim
gafanhoto d'Almeirim
chacinado em um seirão.

Diabo Judeu, lá te passarão,
porque vão mais despejados.

Parvo E ele mijou nos finados
n'ergueja de São Gião!

E comia a carne da panela
no dia de Nosso Senhor!
E aperta o salvador,
e mija na caravela!

Diabo Sus, sus! Demos à vela!
Vós, Judeu, irês à toa,
que sois mui ruim pessoa.
Levai o cabrão na trela!

Vem um Corregedor, carregado de feitos, e, chegando à barca do Inferno, com sua vara na mão, diz:

Corregedor Hou da barca!

Diabo Que quereis?

Corregedor Está aqui o senhor juiz?

Diabo Oh amador de perdiz.
gentil carrega trazeis!

Corregedor No meu ar conhecereis
que nom é ela do meu jeito.

Diabo Como vai lá o direito?

Corregedor Nestes feitos o vereis.

Diabo Ora, pois, entrai. Veremos
que diz i nesse papel...

Corregedor E onde vai o batel?

Diabo No Inferno vos poeremos.

Corregedor Como? À terra dos demos
há-de ir um corregedor?

Diabo Santo descorregedor,
embarcai, e remaremos!
Ora, entrai, pois que viestes!

Corregedor *Non est de regulae juris*, não!

Diabo Ita, Ita! Dai cá a mão!
Remaremos um remo destes.
Fazei conta que nascestes
pera nosso companheiro.
– Que fazes tu, barzoneiro?
Faze-lhe essa prancha prestes!

Corregedor Oh! Renego da viagem
e de quem me há-de levar!
Há 'qui meirinho do mar?

Diabo Não há tal costumagem.

Corregedor Nom entendo esta barcagem,
nem *hoc nom potest* esse.

Diabo Se ora vos parecesse
que nom sei mais que linguagem...
Entrai, entrai, corregedor!

Corregedor Hou! *Videtis qui petatis*
Super jure magestatis
tem vosso mando vigor?

Diabo Quando éreis ouvidor
nonne accepistis rapina?
Pois ireis pela bolina
onde nossa mercê for...

Oh! Que isca esse papel
pera um fogo que eu sei!

Corregedor *Domine, memento mei!*

Diabo Non es tempus, bacharel!
Imbarquemini in batel
quia Judicastis malitia.

Corregedor – Sempre ego *justitia*
fecit, e bem por nível.

Diabo E as peitas dos judeus
que a vossa mulher levava?

Corregedor Isso eu não o tomava
eram lá percalços seus.
Nom som pecatus meus,
peccavit uxore mea.

Diabo *Et vobis quoque cum ea,*
não *temuistis* Deus.
A largo modo *adquiristis*
sanguinis laboratorum
ignorantis peccatorum.
Ut quid eos non audistis?

Corregedor Vós, arrais, *nonne legistis*
que o dar quebra os pinedos?
Os direitos estão quedos,
sed aliquid tradidistis…

Diabo Ora entrai, nos negros fados!
Ireis ao lago dos cães

e vereis os escrivães
como estão tão prosperados.

Corregedor E na terra dos danados
estão os Evangelistas?

Diabo Os mestres das burlas vistas
lá estão bem fraguados.

Estando o Corregedor nesta prática com o Arrais infernal chegou um procurador, carregado de livros, e diz o Corregedor ao Procurador:

Corregedor Ó senhor Procurador!

Procurador Bejo-vo-las mãos, Juiz!
Que diz esse arrais?
Que diz?

Diabo Que serês bom remador.
Entrai, bacharel doutor,
e ireis dando na bomba.

Procurador E este barqueiro zomba…
Jogatais de zombador?
Essa gente que aí está
pera onde a levais?

Diabo Pera as penas infernais.

Procurador Diz! Nom vou eu pera lá!
Outro navio está cá,
muito melhor assombrado.

Diabo Ora estás bem aviado!
Entra, muitieramá!

Corregedor Confessaste-vos, doutor?

Procurador Bacharel som.
Dou-me à Demo!
Não cuidei que era extremo,
nem de morte minha dor.
E vós, senhor Corregedor?

Corregedor Eu mui bem me confessei,
mas tudo quanto roubei
encobri ao confessor...
Porque, se o nom tornais,
não vos querem absolver,
e é mui mau de volver
depois que o apanhais.

Diabo Pois por que nom embarcais?

Procurador *Quia speramus in Deo.*

Diabo *Imbarquemini in barco meo...*
Para que *esperatis* mais?

Vão-se ambos ao batel da Glória, e, chegando, diz o Corregedor ao Anjo:

Corregedor Ó arrais dos gloriosos,
passai-nos neste batel!

Anjo Oh! Pragas pera papel,
para as almas odiosos!

Como vindes preciosos,
sendo filhos da ciência!

Corregedor Oh! *Habeatis* clemência
e passai-nos como vossos!

Parvo Hou, homens dos breviairos,
rapinastis coelhorum
et pernis perdigotorum
e mijais nos campanairos!

Corregedor Oh! Não nos sejais contrários,
pois nom temos outra ponte!

Parvo *Belequinis ubi sunt?*
Ego latinus macairos.

Anjo A justiça divinal
vos manda vir carregados
porque vades embarcados
nesse batel infernal.

Corregedor Oh! Nom praza a São Marçal!
coa ribeira, nem co rio!
Cuidam lá que é desvario
haver cá tamanho mal!

Procurador Que ribeira é esta tal!

Parvo Parecês-me vós a mi
como cagado nebri,
mandado no Sardoal.
Embarquetis in zambuquis!

Corregedor Venha a negra prancha cá!
Vamos ver este segredo.

Procurador Diz um texto do Degredo...

Diabo Entrai, que cá se dirá!

E tanto que foram dentro no batel dos condenados, disse o Corregedor a Brízida Vaz, porque a conhecia:

Corregedor Oh! Esteis muitieramá,
senhora Brízida Vaz!

Brízida Já sequer estou em paz,
que não me leixáveis lá.
Cada hora sentenciada:
"Justiça que manda fazer..."

Corregedor E vós... tornar a tecer
e urdir outra meada.

Brízida Dize de, juiz d'alçada:
vem lá Pêro de Lisboa?
Levá-lo-emos à toa
e irá nesta barcada.

Vem um homem que morreu enforcado, e, chegando ao batel dos mal-aventurados, disse o Arrais, tanto que chegou:

Diabo Venhais embora, enforcado!
Que diz lá Garcia Moniz?

Enforcado Eu te direi que ele diz:
que fui bem-aventurado em morrer
dependurado como o tordo na buiz,
e diz que os feitos que eu fiz
me fazem canonizado.

Diabo Entra cá, governarás
até as portas do Inferno.

Enforcado Nom é essa a nau que eu governo.

Diabo Mando-te eu que aqui irás.

Enforcado Oh! Nom praza a Barrabás!
Se Garcia Moniz diz
que os que morrem como eu fiz
são livres de Satanás…

E disse que a Deus prouvera
que fora ele o enforcado;
e que fosse Deus louvado
que em bo'hora eu cá nascera;
e que o Senhor m'escolhera;
e por bem vi beleguins.
E com isto mil latins,
mui lindos, feitos de cera.

E, no passo derradeiro,
me disse nos meus ouvidos
que o lugar dos escolhidos
era a forca e o Limoeiro;
nem guardião do moesteiro
nom tinha tão santa

como Afonso Valente
que é agora carcereiro.

Diabo Dava-te consolação
isso, ou algum esforço?

Enforcado Com o baraço no pescoço,
mui mal presta a pregação...
E ele leva a devoção
que há-de tornar a juntar...
Mas quem há-de estar no ar
avorrece-lhe o sermão.

Diabo Entra, entra no batel,
que ao Inferno hás-de ir!

Enforcado O Moniz há-de mentir?
Disse-me que com São Miguel
jantaria pão e mel
tanto que fosse enforcado.
Ora, já passei meu fado,
e já feito é o burel.

Agora não sei que é isso:
não me falou em ribeira,
nem barqueiro, nem barqueira,
senão – logo ó Paraíso.
Isto muito em seu siso.
e era santo o meu baraço...
Eu não sei que aqui faço:
que é desta glória improviso?

Diabo Falou-te no Purgatório?

Enforcado Disse que era o Limoeiro,
e ora por ele o salteiro
e o pregão vitatório;
e que era mui notório
que àqueles disciplinados
eram horas dos finados
e missas de São Gregório.

Diabo Quero-te desenganar:
se o que disse tomaras,
certo é que te salvaras.
Não o quiseste tomar…
– Alto! Todos a tirar,
que está em seco o batel!
– Saí vós, Frei Babriel!
Ajudai ali a botar!

Vêm quatro cavaleiros cantando, os quais trazem cada um a Cruz de Cristo, pelo qual Senhor e acrescentamento de sua santa fé católica morreram em poder dos mouros. Absoltos a culpa e pena per privilégio que os que assim morrem têm dos mistérios da Paixão d'Aquele por quem padecem, outorgados por todos os Presidentes Sumos Pontífices da Madre Santa Igreja. E a cantiga que assim cantavam, quanto a palavra dela, é a seguinte:

Cavaleiros À barca, à barca segura,
barca bem guarnecida,
à barca, à barca da vida!

Senhores que trabalhais
pela vida transitória,
memória, por Deus,
memória

deste temeroso cais!
À barca, à barca, mortais,
Barca bem guarnecida,
à barca, à barca da vida!

Vigiai-vos, pecadores,
que, depois da sepultura,
neste rio está a ventura
de prazeres ou dolores!
À barca, à barca, senhores,
barca mui nobrecida,
à barca, à barca da vida!

E passando per diante da proa do batel dos danados assim cantando, com suas espadas e escudos, disse o Arrais da perdição desta maneira:

Diabo Cavaleiros, vós passais
e nom perguntais onde is?

1º Cavaleiro Vós, Satanás, presumis?
Atentai com quem falais!

2º Cavaleiro – Vós que nos demandais?
Sequer conhecermos bem:
morremos nas Partes d'Além,
e não queirais saber mais.

Diabo – Entrai cá! Que cousa é essa?
Eu nom posso entender isto!

Cavaleiros Quem morre por Jesus Cristo
não vai em tal barca como essa!

Tornaram a prosseguir, cantando, seu caminho direito à barca da Glória, e, tanto que chegam, diz o Anjo:

Anjo Ó cavaleiros de Deus,
a vós estou esperando, que morrestes pelejando
por Cristo, Senhor dos Céus!
Sois livres de todo mal,
mártires da Santa Igreja,
que quem morre em tal peleja merece paz
eternal.

E assim embarcam.

FIM

FARSA OU AUTO DE INÊS PEREIRA

A seguinte farsa de folgar foi representada ao muito alto e mui poderoso rei d. João, o terceiro do nome em Portugal, no seu Convento de Tomar, era do Senhor de MDXXIII. O seu argumento é que porquanto duvidavam certos homens de bom saber se o autor fazia de si mesmo estas obras, ou se furtava de outros autores, lhe deram este tema sobre que fizesse: segundo um exemplo comum que dizem: *mais quero asno que me leve que cavalo que me derrube*. E sobre este motivo se fez esta farsa.

A figuras são as seguintes: Inês Pereira; sua Mãe; Lianor Vaz; Pêro Marques; dous Judeus (um chamado Latão, outro Vidal); um Escudeiro com um seu Moço; um Ermitão; Luzia e Fernando.

Finge-se que Inês Pereira, filha de uma mulher de baixa sorte, muito fantasiosa, está lavrando em casa, e sua mãe é a ouvir missa, e ela canta esta cantiga:

Canta Inês:

Quien con veros pena y muere
Que hará quando no os viere?

(Falando)

Inês Renego deste lavrar
E do primeiro que o usou;
Ó diabo que o eu dou,
Que tão mau é d'aturar.
Oh Jesus! que enfadamento,
E que raiva, e que tormento,
Que cegueira, e que canseira!
Eu hei de buscar maneira
D'algum outro aviamento.

Coitada, assi hei de estar
Encerrada nesta casa
Como panela sem asa,
Que sempre está num lugar?
E assi hão-de ser logrados
Dous dias amargurados,
Que eu possa durar viva?
E assim hei de estar cativa
Em poder de desfiados?

Antes o darei ao Diabo
Que lavrar mais nem pontada.
Já tenho a vida cansada
De fazer sempre dum cabo.

Todas folgam, e eu não,
Todas vêm e todas vão
Onde querem, senão eu.
Hui! E que pecado é o meu,
Ou que dor de coração?

Esta vida mais que morta.
Sam eu coruja ou corujo,

Ou sam algum caramujo
Que não sai senão à porta?
E quando me dão algum dia
Licença, como a bugia,
Que possa estar à janela,
É já mais que a Madalena
Quando achou a aleluia.

Vem a Mãe, e não na achando lavrando, diz:

Mãe Logo eu adivinhei
Lá na missa onde eu estava,
Como a minha Inês lavrava
A tarefa que lhe eu dei...
Acaba esse travesseiro!
Hui! Nasceu-te algum unheiro?
Ou cuidas que é dia santo?

Inês Praza a Deos que algum quebranto?
Me tire do cativeiro.

Mãe Toda tu estás aquela!
Choram-te os filhos por pão?

Inês Prouvesse a Deus! Que já é razão
De eu não estar tão singela.

Mãe Olha de ali o mau pesar...
Como queres tu casar
Com fama de preguiçosa?

Inês Mas eu, mãe, sam aguçosa
E vós dais-vos de vagar.

Mãe Ora espera assi, vejamos.

Inês Quem já visse esse prazer!

Mãe Cal'-te, que poderá ser
Que "ame a Páscoa vêm os Ramos".
Não te apresses tu, Inês.
"Maior é o ano que o mês":
Quando te não precatares,
Virão maridos a pares,
E filhos de três em três.

Inês Quero-m'ora alevantar.
Folgo mais de falar nisso,
Assi me dê Deos o Paraíso,
Mil vezes que não lavrar
Isto não sei que me faz

Mãe Aqui vem Lianor Vaz.

Inês E ela vem-se benzendo...

(Entra Lianor Vaz)

Lianor Jesus a que me eu encomendo!
Quanta cousa que se faz!

Mãe Lianor Vaz, que é isso?

Lianor – Venho eu, mana, amarela?

Mãe Mais ruiva que uma panela.

Lianor Não sei como tenho siso!
Jesus! Jesus! Que farei?
Não sei se me vá a el-rei,
Se me vá ao Cardeal.

Mãe Como? E tamanho é o mal?
Lianor
Tamanho? Eu to direi:
Vinha agora pereli
Ó redor da minha vinha,
E hum clérigo, mana minha,
Pardeos, lançou mão de mi;
Não me podia valer
Diz que havia de saber
S'era eu fêmea, se macho.

Mãe Hui! Seria algum muchacho,
Que brincava por prazer?

Lianor Si, muchacho sobejava
Era hum zote tamanhouço!
Eu andava no retouço,
Tão rouca que não falava.
Quando o vi pegar comigo,
Que m'achei naquele p'rigo:
– Assolverei! – Não assolverás!
–Tomarei! – Não tomarás!
– Jesus! Homem, qu'has contigo?

– Irmã, eu te assolverei
Co breviairo de Braga.

– Que breviairo, ou que praga!
Que não quero: aqui d'el-rei!
Quando viu revolta a voda,
Foi e esfarrapou-me toda
O cabeção da camisa.

Mãe Assi me fez dessa guisa
Outro, no tempo da poda.

Eu cuidei que era jogo,
E ele... dai-o vós ao fogo!
Tomou-me tamanho riso,
Riso em todo meu siso,
E ele deixou-me logo.

Lianor Si, agora, eramá,
Também eu me ria cá
Das cousas que me dizia:
Chamava-me "luz do dia".
– "Nunca teu olho verá!" –

Se estivera de maneira
Sem ser rouca, bradar'eu;
Mas logo m'o demo deu
Catarrão e peitogueira,
Cócegas e cor de rir,
E coxa pera fugir,
E fraca pera vencer:
Porém pude-me valer
Sem me ninguém acudir...

O demo (e não pode al ser)
Se chantou no corpo dele.

Mãe Mana, conhecia-te ele?

Lianor Mas queria-me conhecer!

Mãe Vistes vós tamanho mal?

Lianor Eu m'irei ao Cardeal,
E far-lhe-ei assi mesura,
E contar lhe-ei a aventura
Que achei no meu olival.

Mãe Não estás tu arranhada,
De te carpir, nas queixadas?

Lianor Eu tenho as unhas cortadas,
E mais estou tosquiada:
E mais pera que era isso?
E mais pera que é o siso?
E mais no meio da requesta
Veio um homem de uma besta,
Que em vê-lo vi o p'raíso,
E soltou-me, porque vinha
Bem contra sua vontade.
Porém, a falar a verdade,
Já eu andava cansadinha:
Não me valia rogar
Nem me valia chamar:
– "Aquele de Vasco de Fois,
Acudi-me, como sois!"
E ele... senão pegar:

– Mais mansa, Lianor Vaz,
Assi Deus te faça santa.

– Trama te dê na garganta!
Como! Isto assi se faz?
– Isto não revela nada...
– Tu não vês que são casada?

Mãe Deras-lhe, má hora, boa,
E mordera-lo na coroa.

Lianor Assi! Fora excomungada.

Não lhe dera um empuxão,
Porque sou tão maviosa,
Que é cousa maravilhosa.
E esta é a conclusão.
Deixemos isto. Eu venho
Com grande amor que vos tenho,
Porque diz o exemplo antigo
Que a amiga e bom amigo
Mais aquenta que o bom lenho.

Inês está concertada
Pera casar com alguém?

Mãe Até 'gora com ninguém
Não é ela embaraçada.

Lianor Eu vos trago um casamento
Em nome do anjo bento.
Filha, não sei se vos praz.

Inês E quando, Lianor Vaz?

Lianor Eu vos trago aviamento.

Inês Porém, não hei de casar
Senão com homem avisado
Ainda que pobre e pelado,
Seja discreto em falar

Lianor Eu vos trago um bom marido,
Rico, honrado, conhecido.
Diz que em camisa vos quer

Inês Primeiro eu hei de saber
Se é parvo, se sabido.

Lianor Nesta carta que aqui vem
Pera vós, filha, d'amores,
Veredes vós, minhas flores,
A discrição que ele tem.

Inês Mostrai-ma cá, quero ver

Lianor Tomai. E sabedes vós ler?

Mãe Hui! E ela sabe latim
E gramática e alfaqui
E tudo quanto ela quer!

Inês (lê a carta)

"Senhora amiga Inês Pereira,
Pêro Marquez, vosso amigo,
Que ora estou na nossa aldeia,
Mesmo na vossa mercê
M'encomendo. E mais digo,
Digo que benza-vos Deos,

Que vos fez de tão bom jeito.
Bom prazer e bom proveito
Veja vossa mãe de vós.

Ainda que eu vos vi
Est'outro dia folgar
E não quisestes bailar,
Nem cantar presente mi... "

Inês Na voda de seu avô,
Ou onde me viu ora ele?
Lianor Vaz, este é ele?

Lianor Lede a carta sem dó,
Que inda eu são contente dele.

Prossegue Inês Pereira a carta:

"Nem cantar presente mi.
Pois Deos sabe a rebentinha
Que me fizestes então.
Ora, Inês, que hajais bênção
De vosso pai e a minha,
Que venha isto a conclusão.
E rogo-vos como amiga,
Que samicas vós sereis,
Que de parte me faleis
Antes que outrem vo-lo diga.
E, se não fiais de mi,
Esteja vossa mãe aí,
E Lianor Vaz de presente.
Veremos se sois contente
Que casemos na boa hora."

Inês Des que nasci até agora
Não vi tal vilão com'este,
Nem tanto fora de mão!

Lianor Não queirais ser tão senhora.
Casa, filha, que te preste,
Não percas a ocasião.

Queres casar a prazer
No tempo d'agora, Inês?
Antes casa, em que te pês,
Que não é tempo d'escolher.
Sempre eu ouvi dizer:
"Ou seja sapo ou sapinho,
Ou marido ou maridinho,
Tenha o que houver mister."
Este é o certo caminho.

Mãe Pardeus, amiga, essa é ela!
"Mata o cavalo de sela
E bom é o asno que me leva".
Filha, "no Chão de Couce
Quem não puder andar choute."
E: "mais quero eu quem m'adore
Que quem faça com que chore".
Chamá-lo-ei, Inês?

Inês Si.
Venha e veja-me a mi.
Quero ver quando me vir
Se perderá o presumir
Logo em chegando aqui,
Pera me fartar de rir.

Mãe Touca-te, se cá vier
Pois que pera casar anda.

Inês Essa é boa demanda!
Cerimônias há mister
Homem que tal carta manda?
Eu o estou cá pintando:
Sabeis, mãe, que eu adivinho?
Deve ser um vilãozinho
Ei-lo, se vem penteando:
Será com algum ancinho?

Aqui vem Pêro Marques, vestido como filho de lavrador rico, com um gabão azul deitado ao ombro, com o capelo por diante, e vem dizendo:

Pêro Homem que vai aonde eu vou
Não se deve de correr
Ria embora quem quiser
Que eu em meu siso estou.
Não sei onde mora aqui…
Olhai que m'esquece a mi!
Eu creio que nesta rua…
E esta parreira é sua.
Já conheço que é aqui.

Chega Pêro Marques aonde elas
estão, e diz:
Digo que esteis muito embora.
Folguei ora de vir cá…
Eu vos escrevi de lá
Uma cartinha, senhora…
E assi que de maneira…

Mãe Tomai aquela cadeira.

Pêro E que vai aqui uma destas?

Inês (Ó Jesus! que João das bestas!
Olhai aquela canseira!)

Assentou-se com as costas pera elas, e diz:

Pêro Eu cuido que não estou bem…

Mãe Como vos chamais, amigo?

Pêro Eu Pêro Marques me digo,
Como meu pai que Deos tem.
Faleceu, perdoe-lhe Deos,
Que fora bem escusado,
E ficamos dous eréos.
Porém meu é o morgado.

Mãe De morgado é vosso estado?
Isso viria dos céus.

Pêro Mais gado tenho eu já quanto,
E o mor de todo o gado,
Digo maior algum tanto.
E desejo ser casado,
Prouguesse ao Espírito Santo,
Com Inês, que eu me espanto.

Quem me fez seu namorado.
Parece moça de bem,
E eu de bem, era também.

Ora vós era ide vendo
Se lhe vem melhor ninguém,
A segundo o que eu entendo.

Cuido que lhe trago aqui
Pêras da minha pereira...
Hão-de estar na derradeira.
Tende ora, Inês, per i.

Inês E isso hei de ter na mão?

Pêro Deitae as peas no chão.

Inês As perlas pera enfiar.
Três chocalhos e um novelo...
E as peias no capelo...
E as peras? Onde estão?

Pêro Nunca tal me aconteceu!
Algum rapaz m'as comeu...
Que as meti no capelo,
E ficou aqui o novelo,
E o pente não se perdeu.
Pois trazia-as de boa mente...

Inês Fresco vinha aí o presente
Com folhinhas borrifadas!

Pêro Não, que elas vinham chentadas
Cá em fundo no mais quente.

Vossa mãe foi-se? Ora bem...
Sós nos deixou ela assi?...

Cant'eu quero-me ir daqui,
Não diga algum demo alguém...

Inês Vós que me havíeis de fazer?
Nem ninguém que há-de dizer?
(O galante despejado!).

Pêro Se eu fora já casado,
D'outra arte havia de ser
Como homem de bom recado.

Inês (Quão desviado este está!
Todos andam por caçar
Suas damas sem casar
E este... tomade-o lá!).

Pêro Vossa mãe é lá no muro?

Inês Minha mãe eu vos seguro
Que ela venha cá dormir

Pêro Pois, senhora, eu quero-me ir
Antes que venha o escuro.

Inês E não cureis mais de vir.

Pêro Virá cá Lianor Vaz,
Veremos que lhe dizeis...

Inês Homem, não aporfieis,
Que não quero, nem me apraz.
Ide casar a Cascais.

Pêro Não vos anojarei mais,
Ainda que saiba estalar;
E prometo não casar
Até que vós não queirais.

(Pêro vai-se, dizendo:)
Estas vos são elas a vós:
Anda homem a gastar calçado,
E quando cuida que é aviado,
Escarnefucham de vós!
Creo que lá fica a pea...
Pardeus! Bô ia eu à aldeia!
(Voltando atrás)

Senhora, cá fica o fato?

Inês Olhai se o levou o gato...

Pêro Inda não tendes candea?
Ponho per cajo que alguém
Vem como eu vim agora,
E vos acha só a tal hora:
Parece-vos que será bem?
Ficai-vos ora com Deos:
Çarrai a porta sobre vós
Com vossa candeazinha.
E sicais sereis vós minha,
Entonces veremos nós...

(Vai-se Pêro Marques e diz Inês Pereira:)

Inês Pessoa conheço eu
Que levara outro caminho...

Casai lá com um vilãozinho,
Mais covarde que um judeu!
Se fora outro homem agora,
E me topara a tal hora,
Estando assi às escuras,
Dissera-me mil doçuras,
Ainda que mais não fora...

(Vem a Mãe e diz:)

Mãe Pêro Marques foi-se já?

Inês E pera que era ele aqui?

Mãe E não t'agrada ele a ti?

Inês Vá-se muitieramá!
Que sempre disse e direi:
Mãe, eu me não casarei
Senão com homem discreto,
E assi vo-lo prometo
Ou antes o deixarei.

Que seja homem malfeito,
Feio, pobre, sem feição,
Como tiver discrição,
Não lhe quero mais proveito.
E saiba tanger viola,
E coma eu pão e cebola.
Sequer uma cantiguinha!
Discreto, feito em farinha,
Porque isto me degola.

Mãe Sempre tu hás de bailar
E sempre ele há-de tanger?
Se não tiveres que comer
O tanger te há-de fartar?

Inês Cada louco com sua teima.
Com uma borda de boleima
E uma vez d'água fria,
Não quero mais cada dia.

Mãe Como às vezes isso queima!
E que é desses escudeiros?

Inês Eu falei ontem ali
Que passaram por aqui
Os judeus casamenteiros
E hão-de vir agora aqui.

Aqui entram os judeus casamenteiros, um, Latão, e outro, Vidal e diz Latão:

Latão Ou de cá!

Inês Quem está lá?

Vidal Nome del Deu, aqui somos!

Latão Não sabeis quão longe fomos!

Vidal Corremos a iramá.
Este e eu.

Latão Eu, e este…

Vidal Pola lama e polo pó,
Que era pera haver dó,
Com chuva, sol e Nordeste.
Foi a coisa de maneira,
Tal friúra e tal canseira,
Que trago as tripas maçadas.
Assi me fadem boas fadas
Que me saltou caganeira!

Pera vossa mercê ver
O que nos encomendou.

Latão O que nos encomendou
Será o que houver de ser
Todo este mundo é fadiga
Vós dissestes, filha amiga,
Que vos buscássemos logo…

Vidal E logo pujemos fogo…

Latão Cala-te!

Vidal Não queres que diga?
Não fui eu também contigo?
Tu e eu não somos eu?
Tu judeu e eu judeu,
Não somos massa dum trigo?

Latão Deixa-me falar.

Vidal Já calo.
Senhora, fomos… agora falo,
Ou falas tu?

Latão Dize, que dizias?
Que foste, que fomos, que ias
Buscá-lo, esgravatá-lo...

Vidal – Vós, amor, quereis marido
Mui discreto, e de viola?

Latão Esta moça não é tola,
Que quer casar per sentido...

Vidal Judeu, queres-me deixar?

Latão Deixo, não quero falar

Vidal Buscamo-lo...

Latão Demo foi logo!
Crede que o vosso rogo
Vencerá o Tejo e o mar

Eu cuido que falo e calo...
Calo eu agora ou não?
Ou falo se vem à mão?
Não digas que não te falo.

Inês Jesus! Guarde-me ora Deus!
Não falará um de vós?
Já queria saber isso...

Mãe – Que siso, Inês, que siso
Tens debaixo desses véus...

Inês Diz o exemplo da velha:
"O que não haveis de comer
Deixai-o a outrem mexer".

Mãe – Eu não sei quem t'aconselha...

Inês – Enfim, que novas trazeis?

Vidal O marido que quereis,
De viola e dessa sorte,
Não no há senão na corte
Que cá não no achareis.

Falamos a Badajoz,
Músico, discreto, solteiro.
Este fora o verdadeiro,
Mas soltou-se-nos da noz.
Fomos a Vilhacastim
E falou-nos em latim:
– "Vinde cá daqui a uma hora,
E trazei-me essa senhora".

Inês Assi que é tudo nada enfim!

Vidal Esperai, aguardai ora!
Soubemos dum escudeiro
De feição d'atafoneiro
Que virá logo essa hora,
Que fala... e com' ora fala!
Estrugirá esta sala.
E tange... e com' ora tange!
E alcança quanto abrange,
E se preza bem da gala.

Vem o Escudeiro, com seu Moço, que lhe traz uma viola, e diz, falando só:

Escudeiro Se esta senhora é tal
Como os judeus ma gabaram,
Certo os anjos a pintaram,
E não pode ser i al.
Diz que os olhos com que via
Foram de Santa Luzia,
Cabelos, da Madalena…
Se fosse moça tão bela,
Como donzela seria?

Moça de vila será ela
Com sinalzinho postiço,
E sarnosa no toutiço,
Como burra de Castela.
Eu, assi como chegar
Cumpre-me bem atentar
Se é garrida, se honesta,
Porque o melhor da festa
É achar siso e calar.

(Falando para *Inês*:)

Mãe Se este escudeiro há-de vir
E é homem de discrição,
Hás-te de pôr em feição,
De falar pouco e não rir
E mais, Inês, não muito olhar
E muito chão o menear
Por que te julguem por muda,
Porque a moça sisuda
É uma perla pera amar.

(Falando para o criado:)

Escudeiro Olha cá, Fernando, eu vou
Ver a com que hei de casar.
Avisa-te, que hás de estar
Sem barrete onde eu estou.

Moço (Como a rei! Corpo de mi!
Mui bem vai isso assi...)

Escudeiro E, se cuspir, pela ventura,
Põe-lhe o pé e faz mesura.

Moço (Ainda eu isso não vi!)

Escudeiro E se me vires mentir
Gabando-me de privado,
Está tu dissimulado,
Ou sai-te pera fora a rir
Isto te aviso daqui,
Faze-o por amor de mi.

Moço Porém, senhor digo eu
Que mau calçado é o meu
Pera estas vistas assi.

Escudeiro Que farei, que o sapateiro
Não tem solas nem tem pele?

Moço Sapatos me daria ele,
Se me vós désseis dinheiro...

Escudeiro Eu o haverei agora.
E mais calças te prometo.

Moço (Homem que não tem nem preto,
Casa muito na má hora.)

Chega o Escudeiro onde está Inês Pereira, e levantam-se todos, e fazem suas mesuras, e diz o Escudeiro:

Escudeiro Antes que mais diga agora,
Deus vos salve, fresca rosa,
E vos dê por minha esposa,
Por mulher e por senhora;
Que bem vejo
Nesse ar, nesse despejo,
Mui graciosa donzela,
Que vós sois, minha alma, aquela
Que eu busco e que desejo.
Obrou bem a Natureza
Em vos dar tal condição
Que amais a discrição
Muito mais que a riqueza.
Bem parece
Que a discrição merece
Gozar vossa formosura,
Que é tal que, de ventura,
Outra tal não se acontece.
Senhora, eu me contento
Receber vos como estais:
Se vós vos não contentais,
O vosso contentamento
Pode falecer no mais.

Latão (Como fala!

Vidal E ela como se cala!
Tem atento o ouvido…
Este há-de ser seu marido,
Segundo a coisa s'abala.)

Escudeiro Eu não tenho mais de meu,
Somente ser comprador
Do Marechal meu senhor
E são escudeiro seu.
Sei bem ler
E muito bem escrever
E bom jogador de bola,
E quanto a tanger viola,
Logo me vereis tanger
Moço, que estais lá olhando?

Moço Que manda vossa mercê?

Escudeiro Que venhais cá.

Moço Pera quê?

Escudeiro Por que faças o que eu mando!

Moço Logo vou.
(O Diabo me tomou:
Sair me de João Montês
Por servir um tavanês
Mor doudo que Deus criou!)

Escudeiro Fui despedir um rapaz
Que valia Perpinhão,
Por tomar este ladrão.
Moço!

Moço Que vos praz?

Escudeiro A viola.

Moço (Oh! Como ficará tola
Se não fosse casar ante
Co mais sáfio bargante
Que coma pão e cebola!)
Ei-la aqui bem temperada,
Não tendes que temperar

Escudeiro Faria bem de te quebrar
Na cabeça bem migada!

Moço E se ela é emprestada,
Quem na havia de pagar?
Meu amo, eu quero m'ir.

Escudeiro E quando queres partir?

Moço Ante que venha o Inverno,
Porque vós não dais governo
Pera vos ninguém servir

Escudeiro Não dormes tu que te farte?

Moço No chão, e o telhado por manta…
E çarra-se m'a garganta
Com fome.

Escudeiro Isso tem arte…

Moço Vós sempre zombais assi.

Escudeiro Oh que boas vozes tem
Esta viola aqui!
Deixa-me casar a mi,
Depois eu te farei bem.

Mãe Agora vos digo eu
Que Inês está no Paraíso!

Inês Que tendes de ver co isso?
Todo o mal há-de ser meu.

Mãe Quanta doidice!

Inês Oh! como é seca a velhice!
Deixai-me ouvir e folgar,
Que não me hei de contentar
De casar com parvoíce.
Pode ser maior riqueza
Que um homem avisado?

Mãe Muitas vezes, mal pecado,
é melhor boa simpleza.

Latão Ora ouvi, e ouvireis.
Escudeiro, cantareis
Alguma boa cantadela.
Namorai esta donzela
E esta cantiga direis:

Canta o Judeu:

"Canas do amor,
canas do amor
Polo longo dum rio
Carnaval vi florido,
Canas do amor."

Canta o Escudeiro o romance *"Mal me quieren en Castilla"* e diz Vidal:

Vidal Latão, já o sono é comigo
Como ouço cantar guaiado,
Que não vai esfandegado…

Latão Esse é o Demo que eu digo!
Viste cantar Dona Sol:
Pelo mar voy a vela,
Vela vay pelo mar?

Vidal Filha Inês, assi vivais
Que tomeis esse senhor
Escudeiro cantador
E caçador de pardais,
Sabedor revolvedor
Falador gracejador
Afoitado pela mão,
E sabe de gavião…
Tomai-o por meu amor.

Podeis topar um rabugento,
Desmazelado, baboso,
Descancarado, brigoso,
Medroso, carapatento.

Este escudeiro, aosadas,
Onde se derem pancadas,
Ele as há-de levar
Boas, senão apanhar...
Nele tendes boas fadas.

Mãe Quero rir com toda a mágoa
Destes teus casamenteiros!
Nunca vi judeus ferreiros
Aturar tão bem a frágoa.
Não te é milhor mal por mal,
Inês, um bom oficial,
Que te ganhe nessa praça,
Que é um escravo de graça,
E mais casas com teu igual?

Latão Senhora, perdei cuidado:
O que há-de ser há-de ser;
E ninguém pode tolher
O que está determinado.

Vidal Assi diz Rabi Zarão.

Mãe Inês, guar'-te de rascão!
Escudeiro queres tu?

Inês Jesus, nome de Jesus!
Quão fora sois de feição!

Já minha mãe adivinha...
Folgastes vós na verdade
Casar à vossa vontade?
Eu quero casar à minha.

Mãe Casa, filha, muit'embora.

Escudeiro Dai-me essa mão, senhora.

Inês Senhor de mui boa mente.

Escudeiro Per palavras de presente
Vos recebo desd'agora.

Nome de Deus, assi seja!
Eu, Brás da Mata, Escudeiro,
Recebo a vós, Inês Pereira
Por mulher e por parceira
Como manda a Santa Igreja.

Inês Eu, aqui diante Deus,
Inês Pereira, recebo a vós,
Brás da Mata, sem demanda,
Como a Santa Igreja manda.

Latão Juro al Deu! Aí somos nós!

Os judeus ambos:

Alça manim, ó dona, ha!
Arreia espeçulá.
Bento o Deu de Jacob,
Bento o Deu que a Faraó.

Mãe Espantou e espantará.
Bento o Deu de Abraão,
Benta a terra de Canão.
Para bem sejais casados!

Dai-nos cá senhos ducados.

Amanhã vo-los darão.

Pois assi é, bem será
Que não passe isto assi.
Eu quero chegar ali
Chamar meus amigos cá,
E cantarão de terreiro.

Escudeiro Oh! Quem me fora solteiro!

Inês Já vós vos arrependeis?

Escudeiro Ó esposa, não faleis,
Que casar é cativeiro.

Aqui vem a mãe com certas moças e mancebos pera fazerem a festa, e diz uma delas, per nome Luzia:

Luzia Inês, por teu bem te seja!
Oh! Que esposo e que alegria!

Inês Venhas embora, Luzia,
E cedo t'eu assi veja.

Mãe Ora vai tu ali, Inês,
E bailareis três por três.

Fernando Tu conosco, Luzia, aqui,
E a desposada ali,
Ora vede qual direis.

Cantam todos a cantiga que se segue:

"Mal herida va la garça
Enamorada,
Sola va y gritos dava.
A las orillas de um rio
La garça tenia el nido;
Ballestero la ha herido
En el alma;
Sola va y gritos dava."

E, acabando de cantar e bailar diz Fernando:

Fernando Ora, senhores honrados,
Ficai com vossa mercê,
E nosso Senhor vos dê
Com que vivais descansados.
Isto foi assi agora,
Mas melhor será outr'hora.
Perdoai pelo presente:
Foi pouco e de boa mente.
Com vossa mercê, Senhora...
Luz.
Ficai com Deus, desposados,
Com prazer e com saúde,
E sempre Ele vos ajude
Com que sejais bem logrados.

Mãe Ficai com Deus, filha minha,
Não virei cá tão asinha.
A minha bênção hajais.
Esta casa em que ficais
Vos dou, e vou-me à casinha.

Senhor filho e senhor meu,
Pois que já Inês é vossa,
Vossa mulher e esposa,
Encomendo-vo-la eu.
E, pois que des que nasceu
A outrem não conheceu,
Senão a vós, por senhor
Que lhe tenhais muito amor
Que amado sejais no céu.

Sai a Mãe, fica Inês Pereira e o Escudeiro. E senta-se Inês Pereira a lavrar e canta esta cantiga:

Inês *Si no os huviera mirado*
No penara,
Pero tampouco os mirara.

O Escudeiro, vendo cantar Inês Pereira, mui agastado lhe diz:

Escudeiro Vós cantais, Inês Pereira?
Em vodas m'andáveis vós?
Juro ao corpo de Deus
Que esta seja a derradeira!
Se vos eu vejo cantar
Eu vos farei assoviar.

Inês Bofé, senhor meu marido,
Se vós disso sois servido,
Bem o posso eu escusar.

Escudeiro Mas é bem que o escuseis,
E outras cousas que não digo!

Inês Por que bradais vós comigo?

Escudeiro Será bem que vos caleis.
E mais, sereis avisada
Que não me respondais nada,
Em que ponha fogo a tudo,
Porque o homem sisudo
Traz a mulher sopeada.

Vós não haveis de falar
Com homem nem mulher que seja;
Nem somente ir à igreja
Não vos quero eu deixar
Já vos preguei as janelas,
Por que não vos ponhais nelas.
Estareis aqui encerrada
Nesta casa, tão fechada
Como freira d'Oudivelas.

Inês Que pecado foi o meu?
Por que me dais tal prisão?

Escudeiro Vós buscastes discrição,
Que culpa vos tenho eu?
Pode ser maior aviso,
Maior discrição e siso
Que guardar o meu tesouro?
Não sois vós, mulher meu ouro?
Que mal faço em guardar isso?

Vós não haveis de mandar
Em casa somente um pelo.
Se eu disser: – isto é novelo

Havei-lo de confirmar
E mais quando eu vier
De fora, haveis de tremer;
E cousa que vós digais
Não vos há-de valer mais
Que aquilo que eu quiser.

(Para o criado)

Moço, às Partes d'Além
Me vou fazer cavaleiro.

Moço (Se vós tivésseis dinheiro
Não seria senão bem…)

Escudeiro Tu hás de ficar aqui.
Olha, por amor de mi,
O que faz tua senhora:
Fechá-la-ás sempre de fora.

(Para *Inês*)

Vós lavrai, ficai per i.

Moço Co dinheiro que deixais
Não comerei eu galinhas…

Escudeiro Vai-te tu por essas vinhas,
Que diabo queres mais?

Moço Olhai, olhai, como rima!
E depois de ida a vindima?

Escudeiro Apanha desse rabisco.

Moço Pesar ora de São Pisco!
Convidarei minha prima...

E o rabisco acabado,
Ir me-ei espojar às eiras?

Escudeiro Vai-te per essas figueiras,
E farta-te, desmazelado!

Moço Assi?

Escudeiro Pois que cuidavas?
E depois virão as favas.
Conheces túbaras da terra?

Moço I-vos vós, embora, à guerra,
Que eu vos guardarei oitavas...

Ido o Escudeiro, diz o Moço:

Moço Senhora, o que ele mandou
Não posso menos fazer.

Inês Pois que te dá de comer
Faze o que t'encomendou.

Moço Vós fartai-vos de lavrar
Eu me vou desenfadar
Com essas moças lá fora:
Vós perdoai-me, senhora,
Porque vos hei de fechar.

Aqui fica Inês Pereira só, fechada, lavrando e cantando esta cantiga:

Inês "Quem bem tem e mal escolhe
Por mal que lhe venha não s'anoje."
Renego da discrição
Comendo ó demo o aviso,
Que sempre cuidei que nisso
Estava a boa condição.
Cuidei que fossem cavaleiros
Fidalgos e escudeiros,
Não cheios de desvarios,
E em suas casas macios,
E na guerra lastimeiros.

Vede que cavalarias,
Vede que já mouros mata
Quem sua mulher maltrata
Sem lhe dar de paz um dia!
Sempre eu ouvi dizer
Que o homem que isto fizer
Nunca mata drago em vale
Nem mouro que chamem Ale:
E assi deve de ser.

Juro em todo meu sentido
Que se solteira me vejo,
Assi como eu desejo,
Que eu saiba escolher marido,
À boa fé, sem mau engano,
Pacífico todo o ano,
E que ande a meu mandar
Havia m'eu de vingar
Deste mal e deste dano!

Entra o Moço com uma carta de Arzila, e diz:

Moço Esta carta vem d'Além
Creio que é de meu senhor.

Inês Mostrai cá, meu guarda-mor
E veremos o que i vem.
Lê o sobrescrito.
"À mui prezada senhora
Inês Pereira da Grã,
À senhora minha irmã."
De meu irmão… Venha embora!

Moço Vosso irmão está em Arzila?
Eu apostarei que i vem
Nova de meu senhor também.

Inês Já ele partiu de Tavila?

Moço Há três meses que é passado.

Inês Aqui virá logo recado
Se lhe vai bem, ou que faz.
Moço Bem pequena é a carta assaz!

Inês Carta de homem avisado.

Lê Inês Pereira a carta, a qual diz:

"Muito honrada irmã,
Esforçai o coração
E tomai por devoção
De querer o que Deus quiser."

E isto que quer dizer?
"E não vos maravilheis
De cousa que o mundo faça,
Que sempre nos embaraça
Com cousas. Sabei que indo
Vosso marido fugindo
Da batalha pera a vila,
A meia légua de Arzila,
O matou um mouro pastor."

Moço Ó meu amo e meu senhor!

Inês Dai-me vós cá essa chave
E i buscar vossa vida.

Moço Oh que triste despedida!

Inês Mas que nova tão suave!
Desatado é o nó.
Se eu por ele ponho dó,
O Diabo me arrebente!
Pera mim era valente,
E matou-o um mouro só!

Guardar de cavaleirão,
Barbudo, repetenado,
Que em figura de avisado

É malino e sotrancão.
Agora quero tomar
Pera boa vida gozar,
Um muito manso marido.
Não no quero já sabido,
Pois tão caro há de custar.

Aqui vem Lianor Vaz, e finge Inês Pereira estar chorando, e diz Lianor Vaz:

Lianor Como estais, Inês Pereira?

Inês Muito triste, Lianor Vaz.

Lianor Que fareis ao que Deus faz?

Inês Casei por minha canseira.

Lianor Se ficaste prenhe basta.

Inês Bem quisera eu dele casta,
Mas não quis minha ventura.

Lianor Filha, não tomeis tristura,
Que a morte a todos gasta.

O que havedes de fazer?
Casade-vos, filha minha.
Inês Jesus! Jesus! Tão asinha!
Isso me haveis de dizer?
Quem perdeu um tal marido,
Tão discreto e tão sabido,
E tão amigo de minha vida?

Lianor Dai isso por esquecido,
E buscai outra guarida.

Pêro Marques tem, que herdou,
Fazenda de mil cruzados.
Mas vós quereis avisados...

Inês Não! Já esse tempo passou.
Sobre quantos mestres são
Experiência dá lição.

Lianor Pois tendes esse saber
Querei ora a quem vos quer
Dai ó demo a opinião.

Vai Lianor Vaz por Pêro Marques, e fica Inês Pereira só, dizendo:

Inês Andar! Pêro Marques seja.
Quero tomar por esposo
Quem se tenha por ditoso
De cada vez que me veja.
Por usar de siso mero,
Asno que me leve quero,
E não cavalo folão.
Antes lebre que leão,
Antes lavrador que Nero.

Vem Lionor Vaz com Pêro Marquez e diz Lianor Vaz:

Lianor Não mais cerimônias agora;
Abraçai Inês Pereira
Por mulher e por parceira.

Pêro Há homem empacho, má hora,
Cant'a dizer abraçar…
Depois que a eu usar
Entonces poderá ser:

Inês (Não lhe quero mais saber
Já me quero contentar.)

Lianor Ora dai-me essa mão cá.
Sabeis as palavras, si?

Pêro Ensinaram-mas a mi,
Porém esquecem-me já…

Lianor Ora dizei como digo.

Pêro E tendes vós aqui trigo
Pera nos jeitar por riba?

Lianor Inda é cedo… Como rima!

Pêro Soma, vós casais comigo,
E eu com vosco, pardelhas!
Não cumpre aqui mais falar
E quando vos eu negar
Que me cortem as orelhas.

Lianor Vou-me, ficai-vos embora.

Inês Marido, sairei eu agora,
Que há muito que não saí?

Pêro Si, mulher saí-vos i,
Qu'eu me irei pera fora.

Inês Marido, não digo isso.

Pêro Pois que dizeis vós, mulher?

Inês Ir folgar onde eu quiser

Pêro I onde quiserdes ir,
Vinde quando quiserdes vir
Estai onde quiserdes estar.
Com que podeis vós folgar
Qu'eu não deva consentir?

Vem um ermitão a pedir esmola, que em Moço lhe quis bem, e diz:

Señores, por caridad
Dad limosna al dolorido
Ermitaño de Cupido
Para siempre en soledad.
Pues su siervo soy nacido.
Por exemplo,
Me meti en su santo templo
Ermitaño en pobre ermita,
Fabricada de infinita
Tristeza en que contemplo,

Adonde rezo mis horas
Y mis días y mis años,
Mis servicios y mis daños,
Donde tu, mi alma, Iloras
El fin de tantos engaños.
Y acabando
Las horas, todas llorando,
Tomo las cuentas una y una,
Con que tomo a la fortuna
Cuenta del mal en que ando,
Sin esperar paga alguma.

Y ansi sin esperanza
De cobrar lo merecido,

Sirvo alli mis días Cupido
Con tanto amor sin mudanza,
Que soy su santo escogido.
Ó señores,
Los que bien os va d'amores,
Dad limosna al sin holgura,
Que habita en sierra oscura,
Uno de los amadores
Que tuvo menos ventura.

Y rogaré al Dios de mi,
En quien mis sentìdos traigo,
Que recibais mejor pago
De lo que yo recebi
En esta vida que hago.
Y rezaré
Com gran devocion y fé,
Que Dios os libre d'engaño,
Que esso me hizo ermitaño,
Y pera siempre seré,
Pues pera siempre es mi daño.

Inês Olhai cá, marido amigo,
Eu tenho por devoção
Dar esmola a um ermitão.
E não vades vós comigo.

Pêro I-vos embora, mulher
Não tenho lá que fazer.

(Inês fala a sós com o Ermitão):

Inês Tomai a esmola, padre, lá,
Pois que Deus vos trouxe aqui.

Ermitão *Sea por amor de mi*
Vuesa buena caridad.
Deo gratias, mi señora!
La limosna mata el pecado,
Pero vos teneis cuidado
De matar-me cada hora.
Deveis saber
Para merced me hacer
Que por vos soy ermitaño.
Y aun más os desengaño:
Que esperanças de os ver
Me hizieron vestir tal paño.

Inês Jesus, Jesus! Manas minhas!
Sois vós aquele que um dia
Em casa de minha tia
Me mandastes camarinhas,
E quando aprendia a lavrar
Mandáveis-me tanta cousinha?
Eu era ainda Inesinha,
Não vos queria falar.

Ermitão *Señora, tengo-os servido*
Y vos a mi despreciado;
Haced que el tiempo pasado
No se cuente por perdido.

Inês Padre, mui bem vos entendo
Ó demo vos encomendo,
Que bem sabeis vós pedir!
Eu determino lá d'ir
À ermida, Deus querendo.

Ermitão E quando?

Inês I-vos, meu santo,
Que eu irei um dia destes
Muito cedo, muito prestes.

Ermitão *Señora, yo me voy en tanto.*

(Inês torna para Pêro Marques):

Inês Em tudo é boa a conclusão.
Marido, aquele ermitão
É um anjinho de Deus…

Pêro Corregê vós esses véus
E ponde-vos em feição.

Inês Sabeis vós o que eu queria?

Pêro Que quereis, minha mulher?

Inês Que houvésseis por prazer
De irmos lá em romaria.

Pêro Seja logo, sem deter.

Inês Este caminho é comprido…
Contai uma história, marido.

Pêro Bofá que me praz, mulher.

Inês Passemos primeiro o rio.
Descalçai-vos.

Pêro E pois como?

Inês E levar me-eis no ombro,
Não me corte a madre o frio.

Põe-se Inês Pereira às costas do marido, e diz:

Inês Marido, assi me levade.

Pêro Ides à vossa vontade?

Inês Como estar no Paraíso!

Pêro Muito folgo eu com isso.

Inês Esperade ora, esperade!
Olhai que lousas aquelas,
Pera poer as talhas nelas!

Pêro Quereis que as leve?

Inês Si.
Uma aqui e outra aqui.
Oh como folgo com elas!
Cantemos, marido, quereis?

Pêro Eu não saberei entoar.

Inês Pois eu hei só de cantar
E vós me respondereis
Cada vez que eu acabar:
"Pois assi se fazem as cousas".

Canta Inês Pereira:

Inês "Marido cuco me levades
E mais duas lousas."

Pêro "Pois assi se fazem as cousas."

Inês "Bem sabedes vós, marido,
Quanto vos amo.
Sempre fostes percebido
Pera gamo.
Carregado ides, noss'amo,
Com duas lousas."

Pêro "Pois assi se fazem as cousas."

Inês "Bem sabedes vós, marido,
Quanto vos quero.
Sempre fostes percebido
Pera cervo.
Agora vos tomou o demo
Com duas lousas."
Pêro "Pois assi se fazem as cousas."

E assi se vão, e se acaba o dito Auto.

FIM

O VELHO DA HORTA

Esta seguinte farsa é o seu argumento que um homem honrado e muito rico, já velho, tinha uma horta: e andando uma manhã por ela espairecendo, sendo o seu hortelão fora, veio uma moça de muito bom parecer buscar hortaliça, e o velho em tanta maneira se enamorou dela que, por via de uma alcoviteira, gastou toda a sua fazenda. A alcoviteira foi açoitada, e a moça casou honradamente. Entra logo o Velho rezando pela horta. Foi representada ao mui sereníssimo rei d. Manuel, o primeiro desse nome. Era do Senhor de MDXII.

Velho *Pater noster* criador,
Qui es in coelis, poderoso,
Santificetur, Senhor,
nomen tuum vencedor,
nos céu e terra piedoso.
Adveniat a tua graça,
regnum tuum sem mais guerra;
voluntas tua se faça
sicut in coelo et in terra.
Panem nostrum,
que comemos,

cotidianum teu é;
escusá-lo não podemos;
inda que o não merecemos
tu da nobis hodie.
Dimitte nobis, Senhor,
debita nossos errores, *sicut et nos*, por teu amor,
dimittius qualquer *error,*
aos nosso devedores.
Et ne nos, Deus, te pedimos,
inducas, por nenhum modo,
in tentationem caímos
porque fracos nos sentimos
formados de triste lodo.
Sed libera nossa fraqueza,
nos a malo nesta vida;
Amen, por tua grandeza,
e nos livre tua alteza
da tristeza sem medida.

Entra a Moça na horta e diz o Velho:

Velho Senhora, benza-vos Deus.

Moça Deus vos mantenha, senhor.

Velho Onde se criou tal flor?
Eu diria que nos céus.

Moça Mas no chão.

Velho Pois damas se acharão
que não são vosso sapato!

Moça Ai! Como isso é tão vão,
e como as lisonjas são
de barato!

Velho Que buscais vós cá, donzela,
senhora, meu coração?

Moça Vinha ao vosso hortelão,
por cheiros para a panela.

Velho E a isso
vinde vós, meu paraíso,
minha senhora, e não a aí?

Moça Vistes vós! Segundo isso,
nenhum velho não tem siso
natural.

Velho Ó meus olhinhos garridos,
mina rosa, meu arminho!

Moça Onde é vosso ratinho?
Não tem os cheiros colhidos?

Velho Tão depressa
vinde vós, minha condensa,
meu amor, meu coração!

Moça Jesus! Jesus! Que coisa é essa?
E que prática tão avessa
da razão!
Falai, falai doutra maneira!
Mandai-me dar a hortaliça.

Velho Grão fogo de amor me atiça,
ó minha alma verdadeira!

Moça E essa tosse?
Amores de sobreposse
serão os da vossa idade;
o tempo vos tirou a posse.

Velho Mas amo que se moço fosse
com a metade.

Moça E qual será a desastrada
que atende vosso amor?

Velho Oh minha alma e minha dor,
quem vos tivesse furtada!

Moça Que prazer!
Quem vos isso ouvir dizer
cuidará que estais vivo,
ou que estai para viver!

Velho Vivo não no quero ser,
mas cativo!

Moça Vossa alma não é lembrada
que vos despede esta vida?

Velho Vós sois minha despedida,
minha morte antecipada.

Moça Que galante!
Que rosa! Que diamante,
que preciosa perla fina!

Velho Oh fortuna triunfante!
Quem meteu um velho amante
com menina!
O maior risco da vida
e mais perigoso é amar;
que morrer é acabar,
e amor não tem saída.
E pois penado,
ainda que amado,
vive qualquer amador;
que fará o desamado,
e sendo desesperado
de favor?

Moça Ora, dá-lhe lá favores!
Velhice, como t'enganas!

Velho Essas palavras ufanas
acendem mais os amores.

Moça Bom homem, estais às escuras,
não vos vedes como estais?

Velho Vós me cegais com tristuras,
mas vejo as desaventuras
que me dais.

Moça Não vedes que sois já morto,
e andais contra a natura?

Velho Ó flor da mor formosura,
quem vos trouxe a este meu horto?

Ai de mi!
Porque assi como vos vi,
cegou minha alma, e a vida
está tão fora de si
qu'em partindo vós daqui,
é partida.

Moça Já perto sois de morrer:
donde nasce esta sandice
que, quanto mais na velhice,
amais os velhos viver?
E mais querida,
quando estais mais de partida,
é a vida que deixais?

Velho Tanto sois mais homicida,
que, quando amo mais a vida,
ma tirais.
Porque meu tempo d'agora
vai vinte anos dos passados;
que os moços namorados
a mocidade os escora.
Mas um velho,
em idade de conselho,
de menina namorado…
Ó minha alma e meu espelho!

Moça Ó miolo de coelho
mal assado!

Velho Quanto for mais avisado
quem d'amor vive penando,
terá menos siso amando,

porque é mais namorado.
Em conclusão,
que amor não quer razão,
nem contrato, nem cautela,
nem preito, nem condição,
mas penar de coração
sem querela.

Moça Onde há desses namorados?
A terra está livre deles!
Olho mau se meteu neles!
Namorados de cruzados,
isso si!...

Velho Senhora, eis-me eu aqui,
que não sei senão amar.
Ó meu rosto de alfeni,
que em forte ponto vos vi
neste pomar!

Moça Que Velho tão sem sossego!

Velho Que garridice me viste?

Moça Mas dizei que me sentistes
remelado, meio cego?

Velho Mas de todo,
por mui namorado modo,
me tendes, minha senhora,
já cego de todo em todo.

Moça Bem está quando tal lodo
se namora.

Velho Quanto mais estais avessa,
mais certo vos quero bem.

Moça O vosso hortelão não vem?
Quero m'ir, que estou com pressa.

Velho Ó formosa,
toda a minha horta é vossa.

Moça Não quero tanta franqueza.

Velho Não por me serdes piedosa,
porque, quanto mais graciosa,
sois crueza.
Cortai tudo sem partido,
senhora, se sois servida,
Seja a horta destruída,
pois seu dono é destruído.

Moça Mana minha!
Julgais que sou a daninha?
Porque não posso esperar,
colherei alguma coisinha,
somente por ir asinha e não tardar.

Velho Colhei, rosa, dessas rosas!
Minhas flores, colhei flores!
Quisera que esses amores
foram perlas preciosas.
E de rubis

o caminho por onde is,
e a horta de ouro tal,
com lavores mui sutis,
pois que Deus fazer-vos quis
angelical.
Ditoso é o jardim
que está em vosso poder:
podeis, senhora, fazer
dele o que fazeis de mi.

Moça Que folgura,
que pomar e que verdura,
que fonte tão esmerada!

Velho N'água olhai vossa figura.
vereis minha sepultura
ser chegada.

Canta a Moça:

"Cual es la niña
que coge las flores
sino tiene amores?
Cogia la niña
la rosa florida,
el hortelanico
prendas le pedia
sino tienes amores."

Assim cantando, colheu a Moça da horta o que vinha buscar e, acabado, diz:

Moça Eis aqui o que colhi;
vede o que vos hei de dar.

Velho Que me haveis vós de pagar,
pois que me levais a mi?
Oh coitado!
Que amor me tem entregado
e em vosso poder me fino,
como pássaro em mão dado
de um menino!

Moça Senhor, com vossa mercê.

Velho Por eu não ficar sem a vossa,
queria de vós uma rosa.

Moça Uma rosa para quê?

Velho Porque são
colhidas de vossa mão,
deixar-me-eis alguma vida,
não isente de paixão
mas será consolação
na partida.

Moça Isso é por me deter:
ora tomai – acabar!

Tomou o Velho a mão:

Moça Jesus! E quereis brincar?
Que galante e que prazer!

Velho Já me deixais?
Lembre-vos que me lembrais,
e que não fico comigo.
Ó marteiros infernais!

Não sei por que me matais,
nem o que digo.

Vem um parvo, criado do Velho, e diz:

Parvo Dono, dizia minha dona,
que fazeis vós cá t'à noite?

Velho Vai-te! Queres que t'açoite?
Oh! Dou ó decho a chaçona
sem saber.

Parvo Diz que fôsseis vós comer
e que não moreis aqui.

Velho Não quero comer nem beber.

Parvo Pois que haver cá de fazer?

Velho Vai-te d'i!

Parvo Dono, veio lá meu tio,
estava minha dona – então ela,
foi-se-lhe o lume pela panela,
senão acertá-lo acario.

Velho Ó senhora,
como sei que estais agora
sem saber minha saudade!
Ó senhora matadora,
meu coração vos adora
de vontade.

Parvo Raivou tanto rosmear,
oh pesar ora da vida!
Está a panela cozida,
minha dona quer jantar:
não quereis?

Velho Não hei de comer que me pês,
nem quero comer bocado.

Parvo E se vós, dono, morreis?
Então depois não falareis,
senão finado.
Então na terra nego jazer,
então finar dono estendido.

Velho Oh quem não fora nascido,
ou acabasse de viver!

Parvo Assi, pardeos,
então tanta pulga em vós,
tanta bichoca nos olhos,
ali, c'os finado, sós;
e comer-vos-ão a vós
os piolhos.

Comer-vos-ão as cigarras
e os sapos morrê môrre

Velho Deus me faria mercê
de me soltar as amarras.
Vai saltando,
aqui te fico esperando:
traze a viola e veremos.

Parvo Ah corpo de São Fernando!
Estão os outros jantando,
e cantaremos?

Velho Quem fosse do teu teor,
por não se sentir esta praga
de fogo que não se apaga,
nem abranda tanta dor,
hei de morrer.

Parvo Minha dona quer comer;
Vinde, eramá, dono, que brada,
olhai, eu fui-lhe dizer
dessa rosa e do tanger,
e está raivada!

Velho Vai-te tu, filho Joane,
e dize que logo vou,
que não há tempo que cá estou.

Parvo Ireis vós para o Sanhoane!
Pelo céu sagrado,
que meu dono está danado,
viu ele o demo no ramo,
se ele fosse namorado,
logo eu vou buscar outr'amo.

Vem a Mulher do Velho e diz:

Mulher Hui amarra do meu fado,
Fernand'Eanes, que é isto?

Velho Oh pesar do anticristo,
co'a velha destemperada!
Vistes ora?

Mulher E esta dama onde mora?
Hui amarra dos meus dias!
Vinde jantar em má hora:
que vos metedes agora
em musiquias?

Velho Pelo corpo de São Roque,
vai para o demo a gulosa!

Mulher Quem vos pôs hi essa rosa?
Má forca que vos enforque!

Velho Não curar!
Fareis bem de vos tornar,
porque estou mui mal sentido;
não cureis de me falar,
que não se pode escusar
ser perdido!

Mulher Agora co'as ervas novas
vos tornastes g'ranhão!...

Velho Não sei que é, nem que não,
que hei de vir a fazer trovas.

Mulher Que peçonha!
havei, má hora vergonha
ao cabo de sessenta anos,
que sondes vós carantonha.

Velho Amores de quem me sonha
tantos danos.

Mulher Já vós estais em idade
de mudardes os costumes.

Velho Pois que me pedis ciúmes,
eu vo-lo farei de verdade.

Mulher Olhade a peça!

Velho Nunca o demo em al m'empeça,
senão morrer de namorado.

Mulher Quer já cair da tripeça
e tem rosa na cabeça
e embeiçado!...

Velho Deixar-me ser namorado,
porque o sou muito em extremo!

Mulher Mas vos tome inda o demo,
se vos já não tem tomado.

Velho Dona torta,
acertar por esta porta,
velha mal-aventurada,
Saia, má hora, da horta!

Mulher Hui amarra, aqui sou morta,
ou espancada!

Velho Estas velhas são pecados,
Santa Maria vai com a praga!
Quanto mais homem as afaga,
tanto mais são endiabradas!

(Canta)

"Volvido nos han volvido,
volvido nos han:
por uma vecina
mala meu amor tolheu-lhe a fala
volvido nos han."

Entra Branca Gil, Alcoviteira, e diz:

Alcoviteira Mantenha Deus vossa Mercê.

Velho Bofé, vós venhais em boa hora!
Ah Santa Maria senhora,
como logo Deus provê!

Alcoviteira Si aosadas!
Eu venho por misturadas,
e muito depressa ainda.

Velho Misturadas mesandadas,
que as fará bem guisadas
vossa vinda.
O caso é: sobre meus dias,
em tempo contra a razão,
veio amor, sobre tenção,
e fez de mi outro Macias
tão penado,
que de muito namorado

creio que culpareis
porque tomei tal cuidado;
e do velho testampado
zombareis.

Alcoviteira Mas, antes, senhor, agora
na velhice anda o amor;
o de idade d' amador
de ventura se namora.
E na corte
nenhum mancebo de sorte
não ama como soia,
tudo vai em zombaria,
nunca morrem desta morte
nenhum dia.
E folgo ora de ver
vossa mercê namorado,
que o homem bem criado
até morte o há de ser,
por direito.
Não por modo contrafeito,
mas firme,
sem ir atrás,
que a todo homem perfeito
mandou Deus
no seu preceito:
amarás.

Velho Isso é o demo que eu brado,
Branca Gil, e não me vai,
que eu não daria um real
por homem desnamorado.
Porém, amiga,

se nesta minha fadiga
vós não sois medianeira,
não sei que maneira siga,
nem que faça, nem que diga,
nem que queira.

Alcoviteira Ando agora tão ditosa,
louvores a Virgem Maria,
que acabo mais do que queria
pela minha vida e vossa.
D'antemão
faço uma esconjuração
c'um dente de negra morta,
antes que entre pela porta,
que exorta
qualquer duro coração.
Dizede-me: quem é ela?

Velho Vive junto co' a Sé.

Alcoviteira Já já já, bem sei quem é.
É bonita como estrela,
uma rosinha d'abril,
uma frescura de maio,
tão manhosa, tão sutil!

Velho Acudi-me Branca Gil,
que desmaio!

Esmorece o Velho e a Alcoviteira começa a ladainha:

Alcoviteira Ó precioso Santo Areliano,
mártir bem-aventurado,

Tu que foste marteirado
neste mundo cento e um ano;
Ó São Garcia Moniz,
tu que hoje em dia
Fazes milagres dobrados,
dá-lhe esforço e alegria,
Pois que és da companhia
dos penados!

Ó Apóstolo São João Fogaça,
tu que sabes a verdade,
Pela tua piedade,
que tanto mal não se faça!
Ó Senhor
Tristão da Cunha, confessor,
Ó mártir Simão de Sousa,
pelo vosso santo amor.
livrai o Velho pecador de tal cousa!

Ó Santo Martim Afonso de Melo,
tão namorado
dá remédio a este coitado,
e eu te direi um responso
com devoção!
Eu prometo uma oração,
cada dia, em quatro meses,
por que lhe deis coração,
meu senhor São Dom João
de Meneses!

Ó mártir Santo Amador
Gonçalo da Silva, vós,
que sois o melhor de nós,

Porfioso em amador
apressurado,
chamai o martirizado
Dom Jorge de Eça a conselho!
Dois casados num cuidado,
socorrei a este coitado
deste Velho!

Arcanjo São Comendador
mor d'Avis, mui inflamado,
que antes que fôsseis nado,
fostes santo no amor.
E não fique
o precioso Dom Anrique,
outro mor de Santiago;
socorrei-lhe muito a pique,
antes que demo repique
com tal pago.

Glorioso São Dom Martinho,
apóstolo e evangelista,
tomai este feito à revista,
Porque leva mau caminho,
e dai-lhe espírito!
Ó santo barão de Alvito,
Serafim do deus Cupido,
consolai o velho aflito,
porque, inda que contrito,
vai perdido!

Todos santos marteirados,
socorrei ao marteirado,
que morre de namorado,

pois morreis de namorados.
Polo livrar,
as Virgens quero chamar,
que lhe queiram socorrer,
ajudar e consolar,
que está já para acabar
de morrer.

Ó santa dona Maria
Anriques tão preciosa,
Queirais-lhe ser piedosa,
por vossa santa alegria.
E vossa vista,
que todo o mundo conquista,
esforce seu coração,
porque à sua dor resista,
Por vossa graça e benquista
condição.

Ó santa dona Joana
de Mendonça, tão formosa,
preciosa e mui lustrosa
mui querida e mui ufana!
Dai-lhe vida
com outra santa escolhida
que tenho *in voluntas mea*;
Seja de vós socorrida
como de Deus foi ouvida a Cananea.

Ó santa dona Joana
Manuel, pois que podeis,
e sabeis, e mereceis,
ser angélica e humana, socorrê.

E vós, senhora, por mercê,
ó santa dona Maria
de Calataúd, porque
vossa perfeição lhe dê
alegria.

Santa dona Catarina
de Figueiró, a real,
por vossa graça especial
que os mais altos inclina,
e ajudará.
Santa dona Beatriz de Sá,
dai-lhe, senhora, conforto,
porque está seu corpo já
quase morto.

Santa dona Beatriz
da Silva, que sois aquela
mais estrela que donzela,
como todo o mundo diz.
E vós, sentida
santa dona Margarida
de Sousa, lhe socorrê,
se lhe puderdes dar vida,
porque está já de partida
sem porquê.

Santa dona Violante
de Lima, de grande estima,
mui subida, muito acima
d'estimar nenhum galante;
peço-vos eu,
e a dona Isabel d'Abreu,

que hajais dele piedade
c'o siso que Deus vos deu,
Que não moura de sandeu
em tal idade.

Ó santa dona Maria
de Taíde, fresca rosa,
nascida em hora ditosa,
quando Júpiter se ria!
E, se ajudar
santa dona Ana, sem par
d'Eça, bem-aventurada,
podei-lo ressuscitar,
que sua vida vejo estar
desesperada.

Santas virgens, conservadas
em mui santo e limpo estado,
socorrei ao namorado,
que vos vejais namoradas!

Velho Oh coitado!
Ai triste desatinado,
ainda torno a viver?
cuidei que já era livrado.

Alcoviteira Que esforço de namorado
e que prazer!
Havede má hora aquela.

Velho Que remédio me dais vós?

Alcoviteira Vivereis, prazendo a Deus,
e casar-vos-ei com ela.

Velho É vento isso!

Alcoviteira Assi seja o Paraíso,
que isso não é ora tão extremo!
Não curedes vós de riso
que se faz tão improviso
como o demo:
e também d'outra maneira
se m'eu quiser trabalhar.

Velho Ide-lhe, rogo-vo-lo, falar
e fazei com que me queira,
que pereço;
e dizei-lhe que lhe peço
se lembre que tal fiquei
estimado em pouco preço:
e, se tanto mal mereço
não no sei.
E se tenho esta vontade,
que não se deve enojar,
mas antes muito folgar,
matar os de qualquer idade.
E se reclama
que sendo tão linda dama
por ser velho m'aborrece,
dizei-lhe mal desama,
porque minh'alma que a ama
não envelhece.

Alcoviteira Sus! Nome de Jesus Cristo!
Olhai-me pela cestinha.

Velho Tornai logo, fada minha,
que eu pagarei bem isto.

Vai-se a Alcoviteira, e fica o Velho tangendo e cantando a cantiga seguinte:

"Pues tengo razón, señora,
Razón es que me laa oiga!"

Vem a Alcoviteira e diz o Velho:

Velho Venhais em boa hora, amiga!

Alcoviteira J'ela fica de bom jeito;
mas para isto andar direito,
é razão que vo-lo diga:
eu já, senhor meu, não posso,
vencer uma moça tal.
sem gastardes bem do vosso.

Velho Eu lhe pagarei em grosso.

Alcoviteira Hi está o feito nosso,
e não em al.
Perca-se toda a fazenda,
por salvardes vossa vida!

Velho Seja ela disso servida,
que escusada é mais contenda.

Alcoviteira Deus vos ajude,
e vos dê mais saúde,
que a isso haveis de fazer:
que viola nem alaúde
nem quantos amores pude
não quer ver.
Remocou-m'ela um brial
de seda e uns trocados…

Velho Eis aqui trinta cruzados,
Que lhe façam mui real!

Enquanto a Alcoviteira vai, Velho torna a prosseguir o seu cantar e tanger e, acabado, torna ela e diz:

Alcoviteira Está tão saudosa de vós
que se perde a coitadinha:
há mister uma vasquinha
e três onças de retroz.

Velho Tomai.

Alcoviteira A bênção de vosso pai.
bom namorado é o tal!
pois gastais, descansai.
namorados de al ai!
são papa-sal.
Ui! Tal fora, se me fora!
Sabeis vós que m'esquecia?
Uma adela me vendia
um firmal de uma senhora
com um rubi,
para o colo, de marfi,
lavrado de mil lavores,
por cem cruzados.

Velho Ei-los hi!

Alcoviteira Isto, má hora, isto si
são amores.

Vai-se o Velho torna a prosseguir a sua música e, acabada, torna a Alcoviteira e diz:

Alcoviteira Dei, má hora, uma topada;
trago as sapatas rompidas,
destas vindas, destas idas,
e enfim não ganho nada.

Velho Eis aqui
dez cruzados para ti.

Alcoviteira Começo com boa estreia!

Vem um Alcaide com quatro Beleguins, e diz:

Alcaide Dona, levantai-vos d'hi!

Alcoviteira E qeu me quereis vós assi?

Alcaide À cadeia!

Velho Senhores, homens de bem,
escutem vossas senhorias.

Alcaide Deixai essas cortesias.

Alcoviteira Não hei medo de ninguém,
vistes ora?

Alcaide Levantai-vos d'hi, senhora;
dai ao demo esse rezar:
quem vos dez tão rezadora?

Alcoviteira Deixar-m'ora, na má hora
aqui acabar.

Alcaide Vinde da parte d'el-rei!

Alcoviteira Muita vida seja a sua.
Não me leveis pela rua;
deixar-me vós, que eu m'irei.

Beleguins Sus, andar!

Alcoviteira Onde me quereis levar,
ou quem me manda prender?
Nunca havedes d'acabar
de me prender e soltar?
Não há poder!

Alcaide Nada se pode i al fazer.

Alcoviteira Está já a carocha aviada,
Três vezes fui já açoitada
e enfim hei de viver.

Levam-na presa e fica o Velho dizendo:

Velho Oh forte hora!
Ah santa Maria Senhora!
Já não posso livrar bem.
Cada passo se empeora.
Oh triste quem se namora
de alguém!

Vem uma Mocinha à horta e diz:

Mocinha Vedes aqui o dinheiro:
manda-me cá minha tia,
que, assi como n'outro dia,
lhe mandeis a couve e o cheiro.
Está pasmado!

Velho Mas estou desatinado.

Mocinha Estais doente ou que haveis?

Velho Ai, não sei, desconsolado,
que nasci desventurado!

Mocinha Não choreis;
Mais mal fadada vai aquela!

Velho Quem?

Mocinha Branca Gil.

Velho Como?

Mocinha Com cen't açoites no lombo,
E uma carocha por capela,
e ter mão!
Leva tão bom coração,
como se fosse em folia.
Oh que grandes que lhos dão!

Velho E o triste do pregão
Por que dizia?

Mocinha Por mui grande alcoviteira
e para sempre degredada,
vai tão desavergonhada,
como ia a feiticeira.
E, quando estava
uma moça que casava
na rua para ir casar,
e a coitada que chegava,
a folia começava
de cantar.
Uma moça tão formosa
que vivia ali à Sé...

Velho Oh coitado, a minha é!

Mocinha Agora, má hora e vossa,
vossa é a treva.
Mas ela o noivo leva;
vai tão leda e tão contente,
uns cabelos como Eva,
ousadas que não se lhe atreve
toda a gente.
O noivo, moço tão polido,
não tirava os olhos dela,
e ela dele, oh que estrela!
É ele um par bem escolhido!

Velho Ó roubado,
da vaidade enganado,
da vida e da fazenda!
Ó velho, siso enleado!
quem te meteu desastrado

em tal contenda?
Se os juvenis amores,
os mais têm fins desastrados,
que farão as cãs lançadas
no conto dos amadores?
Que sentias,
triste velho, em fim dos dias?
Se a ti mesmo contemplaras,
souberas que não sabias,
e viras como não vias
e acertaras.

Quero-m'ir buscar a morte,
pois que tanto mal busquei.
Quatro filhas que criei,
eu as pus em pobre sorte.
Vou morrer,
elas hão de padecer
porque não lhes deixo nada,
da quanta riqueza e haver
fui sem razão despender, malgastada.

FIM

AUTO DA ALMA

ARGUMENTO

Assim como foi cousa muito necessária haver nos caminhos estalagens, pera repouso e refeição dos cansados caminhantes, assim foi cousa conveniente que nesta caminhante vida houvesse uma estalajadeira, pera refeição e descanso das almas que vão caminhantes pera a eternal morada de Deus. Esta estalajadeira das almas é a Madre Santa Igreja, a mesa é o altar, os manjares as insígnias da Paixão. E desta prefiguração trata a obra seguinte.

Figuras: Alma, Anjo Custódio, Igreja, Santo Agostinho, Santo Ambrósio, S. Jerônimo, S. Tomás, Dous Diabos.

Este auto presente foi feito à muito devota rainha d. Leonor e representado ao mui poderoso e nobre rei d. Emanuel, seu irmão, por seu mandado, na cidade de Lisboa, nos Paços da Ribeira, em a noite de Endoenças. Era do Senhor de 1518.

Está posta uma mesa com uma cadeira. Vem a Madre Santa Igreja com seus quatro doutores: S. Tomás, S. Jerônimo, Santo Ambrósio e Santo Agostinho. E diz Agostinho:

Agostinho Necessário foi, amigos,
que nesta triste carreira
desta vida,
pera os mui p'rigosos p'rigos
dos inimigos,
houvesse alguma maneira
de guarida.
Porque a humana transitória
natureza vai cansada
em várias calmas;
nesta carreira da glória
meritória,
foi necessário pousada
pera as almas.

Pousada com mantimentos,
mesa posta em clara luz,
sempre esperando
com dobrados mantimentos
dos tormentos
que o Filho de Deus, na Cruz,
comprou, penando.
Sua morte foi avença,
dando, por dar-nos paraíso,
a sua vida
apreçada, sem detença,
por sentença,
julgada a paga improviso,
e recebida.

A Sua mortal empresa
foi santa estalajadeira
Igreja Madre:

consolar à sua despesa,
nesta mesa,
qualquer alma caminheira,
com o Padre
e o Anjo Custódio aio.
Alma que lhe é encomendada,
se enfraquece
e lhe vai tomando raio
de desmaio,
se chegando a esta pousada,
se guarnece.

Vem o Anjo Custódio, com a Alma, e diz:

Anjo Alma humana, formada
de nenhuma cousa feita,
mui preciosa,
de corrupção separada,
e esmaltada
naquela frágoa perfeita,
gloriosa!
Planta neste vale posta
pera dar celestes flores
olorosas,
e pera serdes tresposta
em a alta costa,
onde se criam primores
mais que rosas!

Planta sois e caminheira,
que ainda que estais, vos is
donde viestes.
Vossa pátria verdadeira

é ser herdei
da glória que conseguis:
andai prestes.
Alma bem-aventurada,
dos anjos tanto querida,
não durmais!
Um ponto não esteis parada,
que a jornada
muito em breve é fenecida,
se atentais.

Alma Anjo que sois minha guarda,
olhai por minha fraqueza
terreal!
de toda a parte haja resguarda,
que não arda
a minha preciosa riqueza
principal.
Cercai-me sempre ó redor
porque vou mui temerosa
de contenda.
Ó precioso defensor
meu favor!
Vossa espada luminosa
me defenda!

Tende sempre mão em mim,
porque hei medo de empeçar,
e de cair

Anjo Pera isso são e a isso vim;
mas enfim,
cumpre-vos de me ajudar

a resistir
Não vos ocupem vaidades,
riquezas, nem seus debates.
Olhai por vós;
que pompas, honras, herdades
e vaidades,
são embates e combates
pera vós.

Vosso livre alvedrio,
isento, forro, poderoso
vos é dado
polo divinal poderio
e senhorio,
que possais fazer glorioso
vosso estado.
Deu-vos livre entendimento,
e vontade libertada
e a memória,
que tenhais em vosso tento
fundamento,
que sois por Ele criada
pera a glória.

E vendo Deus que o metal
em que vos pôs a estilar,
pera merecer,
que era muito fraco e mortal,
e, por tal,
me manda a vos ajudar
e defender. Andemos a estrada nossa;
olhai: não torneis atrás,
que o inimigo

à vossa vida gloriosa
porá grosa,
Não creiais a Satanás,
vosso perigo!

Continuai ter o cuidado
no fim de vossa jornada,
e a memória,
que o espírito atalaiado
do pecado
caminha sem temer nada
pera a Glória.
E nos laços infernais,
e nas redes de tristura
tenebrosas
da carreira, que passais,
não caiais:
siga vossa formosura
as gloriosas.

Adianta-se o Anjo, e vem o Diabo a ela e diz:

Diabo Tão depressa, ó delicada,
alva pomba, pera onde isso?
Quem vos engana,
e vos leva tão cansada
por estrada,
que somente não sentis
se sois humana?
Não cureis de vos matar
que ainda estais em idade
de crescer
Tempo há i pera folgar

e caminhar
Vivei à vossa vontade
e havei prazer.

Gozai, gozai dos bens da terra,
Procurai por senhorios
e haveres.

Quem da vida vos desterra
à triste serra?
Quem vos fala em desvarios
por prazeres?
Esta vida é descanso,
doce e manso,
não cureis doutro paraíso.
Quem vos põe em vosso siso
outro remanso?

Alma Não me detenhais aqui,
deixai-me ir que em al me fundo.

Diabo Oh! Descansai neste mundo
que todos fazem assim:
Não são em balde os haveres.
não são em balde os deleites,
e fortunas;
não são debalde os prazeres
e comeres:
tudo são puros afeites
das criaturas:

Pera os homens se criaram.
Dai folga à vossa passagem

d'hoje a mais:
descansai, pois descansaram
os que passaram
por esta mesma romagem
que levais.
O que a vontade quiser
quanto o corpo desejar,
tudo se faça.
Zombai de quem vos quiser
repreender
querendo-vos marteirar
tão de graça.

Tornara-me, se a vós fora.
Is tão triste, atribulada,
que é tormenta.
Senhora, vós sois senhora
imperadora,
não deveis a ninguém nada.
Sede isenta.

Anjo Oh! Andai; quem vos detém?
Como vindes pera a Glória devagar!
Ó meu Deus! Ó sumo bem!
Já ninguém
não se preza da vitória
em se salvar!

Já cansais, alma preciosa?
Tão asinha desmaiais?
Sede esforçada!
Oh! Como viríeis trigosa
e desejosa,

se vísseis quanto ganhais
nesta jornada!
Caminhemos, caminhemos.
Esforçai ora, Alma santa,
esclarecida!

Adianta-se o Anjo, e torna Satanás:

Diabo Que vaidades e que extremos
tão supremos!
Pera que é essa pressa tanta?
tende vida.

Is muito desautorizada,
descalça, pobre, perdida,
de remate:
não levais de vosso nada.
Amargurada,
assim passais esta vida
em disparate.
Vesti ora este brial;
metei o braço por aqui.
Ora esperai.
Oh! Como vem tão real!
Isto tal
me parece bem a mi:
ora andai.

Uns chapins haveis mister
de Valença: ei-los aqui.
Agora estais vós mulher
de parecer
Ponde os braços
presumptuosos:

isso si!
Passeai-vos mui pomposa,
daqui pera ali, e de lá pera cá,
e fantasiai.

Agora estais vós formosa
como a rosa;
tudo vos mui bem está.
Descansai.

Torna o Anjo à Alma, dizendo:

Anjo Que andais aqui fazendo?

Alma Faço o que vejo fazer pelo mundo.

Anjo Ó Alma, is-vos perdendo!
Correndo vos is meter
no profundo!
Quanto caminhais avante,
tanto vos tornais atrás
e através.
Tomastes, ante com ante
por mercante,
o cossairo Satanás,
porque quereis.

Oh! Caminhai com cuidado,
que a Virgem gloriosa
vos espera.
Deixais vosso principado
deserdado!
Enjeitais a glória vossa

e pátria vera!
Deixai esses chapins ora,
e esses rabos tão sobejos,
que is carregada;
não vos tome a morte agora
tão senhora,
nem sejais, com tais desejos,
sepultada.
Andai! Dai-me cá essa mão!

Alma Andai vós, que eu irei,
quanto puder.

Adianta-se o Anjo, e torna o Diabo:

Diabo Todas as cousas com razão
têm sazão.
Senhora, eu vos direi
meu parecer:
Há i tempo de folgar
e idade de crescer;
e outra idade
de mandar e triunfar
e apanhar
e adquirir prosperidade
a que puder.
Ainda é cedo pera a morte;
tempo há-de arrepender
e ir ao Céu.
Ponde-vos à for da corte;
desta sorte
viva vosso parecer
que tal nasceu.

O ouro pera que é,
e as pedras preciosas,
e brocados?
E as sedas pera quê?
Tende por fé,
que pera as almas mais ditosas
foram dados.

Vedes aqui um colar d'ouro,
mui bem esmaltado,
e dez anéis.
Agora estais vós pera casar
e namorar
Neste espelho vos tereis,
e sabereis
que não vos hei-de enganar.
E poreis estes pendentes,
em cada orelha seu.
Isso si!
Que as pessoas diligentes
são prudentes.
Agora vos digo
eu que vou contente daqui.

Alma Oh! Como estou preciosa,
tão digna pera servir
E santa pera adorar!

Anjo Ó Alma despiedosa perfilosa!
Quem vos devesse fugir
mais que guardar!
Pondes terra sobre terra,
que esses ouros terra são.

Ó Senhor
por que permites tal guerra,
que desterra
ao reino da confusão
o teu lavor?

Não íeis mais despejada,
e mais livre da primeira
pera andar?
Agora estais carregada
e embaraçada
com cousas que, à derradeira,
hão-de ficar.
Tudo isso se descarrega
ao porto da sepultura.
Alma santa, quem vos cega,
vos carrega
dessa vã desaventura?

Alma Isto não me pesa nada,
mas a fraca natureza
me embaraça.
Já não posso dar passada
de cansada:
tanta é minha fraqueza,
e tão sem graça!
Senhor, ide-vos embora,
que remédio em mim não sinto,
já estou tal…

Anjo Sequer dai dous passos ora,
até onde mora
a que tem o mantimento
celestial.

Ireis ali repousar
comereis alguns bocados
confortosos;
porque a hóspeda é sem par
em agasalhar
os que vêm atribulados
e chorosos.

Alma É longe?

Anjo Aqui mui perto,
Esforçai, não desmaieis!
E andemos,
Qu'ali há todo concerto
mui certo:
quantas cousas querereis
tudo tendes.

A hóspeda tem graça tanta.
far-vos-á tantos favores!

Alma Quem é ela?

Anjo É a Madre Igreja Santa,
e os seus santos Doutores.
I com ela.
Ireis d'i mui despejada,
cheia do Spírito Santo,
e mui formosa.
Ó Alma, sede esforçada!
Outra passada,
que não tendes de andar tanto
a ser esposa.

Diabo Esperai, onde vos isso?
Essa pressa tão sobeja
é já pequice.
Como! Vós, que presumis,
consentis
continuardes a igreja,
sem velhice?
Dai-vos, dai-vos a prazer
que muitas horas há nos anos
que lá vêm.
Na hora que a morte vier
como se quer
se perdoam quantos danos
a alma tem.

Olhai por vossa fazenda
tendes umas escrituras
de uns casais,
de que perdeis grande renda.
É contenda,
que deixaram às escuras
vossos pais;
é demanda mui ligeira,
litígios que são vencidos
em um riso.
Citai as partes terça-feira,
de maneira
como não fiquem perdidos,
e havei siso.

Alma Cal'-te por amor de Deus!
Deixa-me, não me persigas!
Bem abasta

estorvares os heréus
dos altos céus,
que a vida em tuas brigas
se me gasta.
Deixa-me remediar
o que tu, cruel, danaste
sem-vergonha,
que não me posso abalar,
nem chegar
ao lugar onde gaste
esta peçonha.

Chega a Alma diante da Igreja.

Anjo Vedes aqui a pousada
verdadeira e mui segura
a quem quer vida.

Igreja Oh! Como vindes cansada e carregada!

Alma Venho por minha ventura, amortecida

Igreja Quem sois? Pera onde andais?

Alma Não sei pera onde vou;
sou selvagem,
sou uma alma que pecou
culpas mortais
contra o Deus que me criou
à Sua imagem.

Sou a triste, sem ventura,
criada resplandecente

e preciosa,
angélica em formosura,
e per natura,
como raio reluzente
luminosa.
E por minha triste sorte
e diabólicas maldades
violentas,
estou mais morta que a morte
sem deporte,
carregada de vaidades
peçonhentas.

Sou a triste, sem mezinha,
pecadora obstinada,
perfilosa;
pela triste culpa minha,
mui mesquinha,
a todo o mal inclinada
e deleitosa.
Desterrei da minha mente
os meus perfeitos arreios
naturais;
não me prezei de prudente,
mas contente
me gozei com os trajos feios
mundanais.

Cada passo me perdi;
em lugar de merecer,
eu sou culpada.
Havei piedade de mi,
que não me vi;

perdi meu inocente ser,
e sou danada.
E, por mais graveza, sinto
não poder me arrepender
quanto queria;
que meu triste pensamento,
sendo isento,
não me quer obedecer,
como soia.

Socorrei, hóspeda senhora,
que a mão de Satanás
me tocou,
e sou já de mim tão fora,
que agora
não sei se avante, se atrás,
nem como vou.
Consolai minha fraqueza
com sagrada iguaria,
que pereço,
por vossa santa nobreza,
que é franqueza;
porque o que eu merecia
bem conheço.

Conheço-me por culpada,
e digo diante vós
minha culpa.
Senhora, quero pousada,
dai passada,

pois que padeceu por nós
quem nos desculpa.

Mandai-me ora agasalhar
capa dos desamparados,
Igreja Madre.

Igreja Vinde-vos aqui assentar
mui devagar
que os manjares são guisados
por Deus Padre.

Santo Agostinho doutor,
Jerônimo, Ambrósio, São
Tomás,
meus pilares,
servi aqui por meu amor
o qual melhor
E tu, Alma, gostarás
meus manjares.
Ide à santa cozinha,
tornemos esta alma em si,
porque mereça
de chegar onde caminha,
e se detinha.
Pois que Deus a trouxe aqui,
não pereça.

Enquanto estas cousas passam, Satanás passeia, fazendo muitas vascas, e vem outro (Diabo) e diz:

2º Diabo Como andas desassossegado!

1º Diabo Arço em fogo de pesar

2º Diabo Que houveste?

2º Diabo Ando tão desatinado,
de enganado,
que não posso repousar
que me preste.
Tinha uma alma enganada,
já quase pera infernal,
mui acesa.

2º Diabo E quem t'a levou forçada?

1º Diabo O da espada.

2º Diabo Já m'ele fez outra tal burla como essa.
Tinha outra alma já vencida,
em ponto de se enforcar
de desesperada,
a nós toda oferecida,
e eu prestes pera a levar
arrastada;
e ele fê-la chorar tanto,
que as lágrimas corriam
pela terra.
Blasfemei entonces tanto,
que meus gritos retiniam
pela serra.

Mas faço conta que perdi,
outro dia ganharei,
e ganharemos.

1º Diabo Não digo eu, irmão, assim:
mas a esta tornarei,
e veremos.

Torná-la-ei a afagar
depois que ela sair fora
da Igreja
e começar de caminhar;
hei-de apalpar
se vencerão ainda agora
esta peleja.

Entra a Alma, com o Anjo.

Alma Vós não me desampareis,
Senhor meu Anjo Custódio!
Ó incréus
inimigos, que me quereis,
que já sou fora do ódio
de meu Deus?
Deixai-me já, tentadores,
neste convite prezado
do Senhor
guisado aos pecadores
com as dores
de Cristo crucificado,
redentor.

Estas cousas, estando a Alma assentada à mesa, e o Anjo junto com ela, em pé, vêm os doutores com quatro bacios de cozinha cobertos, cantando: *Vexilla regis prodeunt*. E, postos na mesa, diz Santo Agostinho:

Agostinho Vós, senhora convidada,
nesta ceia soberana
celestial,
haveis *mister* ser apartada
e transportada

de toda a cousa mundana,
terreal.
Cerrai os olhos corporais,
deitai ferros aos danados
apetites,
caminheiros infernais;
pois buscais
os caminhos bem guiados
dos contritos.

Igreja Benzei a mesa vós, senhor
e, pera consolação
da convidada,
seja a oração de dor
sobre o tenor
da gloriosa Paixão
consagrada.
E vós, Alma, rezareis,
contemplando as vivas dores
da Senhora;
Vós outros respondereis,
pois que fostes rogadores
até agora.

Oração pera Santo Agostinho.

Alto Deus Maravilhoso,
que o mundo visitaste
em carne humana,
neste vale temeroso
e lacrimoso.
Tua glória nos mostraste
soberana.

E Teu Filho delicado,
mimoso da Divindade
e Natureza,
per todas partes chagado,
e mui sangrado,
pela nossa infinidade
e vil fraqueza!

Ó Imperador celeste,
Deus alto, mui poderoso,
essencial,
que polo homem que fizeste,
ofereceste
o teu estado glorioso
a ser mortal!
E Tua Filha, Madre, Esposa,
horta nobre, frol dos céus,
Virgem Maria,
mansa pomba gloriosa;
oh quão chorosa
quando o seu Deus padecia!

Ó lágrimas preciosas,
do Virginal Coração
estiladas,
correntes das dores vossas,
com os olhos da perfeição
derramadas!
Quem uma só pudera ver
vira claramente nela
aquela dor,
aquela pena e padecer

com que choráveis, donzela,
vosso amor!

E quando vós, amortecida,
se lágrimas vos faltavam,
não faltava
a vosso filho e vossa vida
chorar as que lhe ficaram
de quando orava.
Porque muito mais sentia
pelos seus padecimentos
ver-vos tal;
mais que quanto padecia,
lhe doía,
e dobrava seus tormentos,
vosso mal.

Se pudesse dizer
se pudesse rezar
tanta dor;
Se pudesse fazer
podermos ver
qual estáveis ao cravar
do Redentor!
Ó formosa face bela,
ó resplendor divinal,
que sentistes,
quando a cruz se pôs à vela,
e posto nela
o filho celestial
que paristes?

Vendo por cima da gente
assorear vosso conforto
tão chagado,
cravado tão cruelmente,
e vós presente,
vendo-vos ser mãe do morto,
e justiçado!
Ó rainha delicada,
santidade escurecida,
quem não chora
em ver morta e debruçada
a advogada,
a força da nossa vida?

Ambrósio Isto chorou Hieremias
sobre o monte de Sião,
há já dias;
porque sentiu que o Messias
era nossa redenção.
E chorava a sem-ventura,
triste de Jerusalém
homicida,
matando, contra natura,
seu Deus nascido em Belém
nesta vida.

Jerônimo Quem vira o Santo Cordeiro
entre os lobos humildoso,
escarnecido,
julgado pera o marteiro
do madeiro,
seu rosto alvo e formoso
mui cuspido!

(Agostinho benze a mesa.)

Agostinho A bênção do Padre Eternal,
e do Filho, que por nós
sofreu tal dor,
e do Espírito Santo, igual
Deus imortal,
convidada, benza a vós
por seu amor.

Igreja Ora sus! Venha água às mãos.

Agostinho Vós haveis-vos de lavar
em lágrimas da culpa vossa,
e bem lavada.
E haveis-vos de chegar
a alimpar
a uma toalha formosa,
bem lavrada
co sirgo das veias puras
da Virgem sem mágoa, nascido
e apurado,
torcido com amarguras
às escuras,
com grande dor guarnecido
e acabado.

Não que os olhos alimpeis,
que o não consentirão
os tristes laços;
que tais pontos achareis
da face e invés,
que se rompe o coração

em pedaços.
Vereis seu triste lavrado
natural,
com tormentos pespontado,
e figurado
Deus Criador em figura
de mortal.

Esta toalha, em que aqui se fala, é o Verônica, a qual Santo Agostinho tira d'entre os bacios, e amostra à Alma; e a Madre Igreja, com os Doutores, lhe fazem adoração de joelhos, cantando:
Salve, Sancta Facies.
E, acabando, diz a Madre Igreja:

Igreja Venha a primeira iguaria.

Jerônimo Esta iguaria primeira
foi, Senhora,
guisada sem alegria
em triste dia,
a crueldade cozinheira
e matadora.
Gostá-la-eis com salsa e sal
de choros de muita dor;
porque os costados
do Messias divinal,
santo sem mal,
foram, polo vosso amor
açoutados.

Esta iguaria em que aqui se fala são os Açoutes; e em este passo os tiram dos bacios, e os pressentem à Alma, e todos de joelhos adoram, cantando: *Ave, flagellum*; e depois diz:

Jerônimo Est'outro manjar segundo
é iguaria,
que haveis de mastigar
em contemplar
a dor que o Senhor do mundo
padecia,
pera vos remediar
Foi um tormento improviso,
que aos miolos lhe chegou:
e consentiu,
por remediar o siso,
que a vosso siso faltou;
e pera ganhardes paraíso,
a sofreu.

Esta iguaria segunda, de que aqui se fala, é a Coroa de Espinhos; e em este passo a tiram dos bacios e, de joelhos, os Santos Doutores cantam: *Ave, corona spinarum*. E, acabando, diz a Madre Igreja:

Igreja Venha outra do teor.

Jerônimo Est'outro manjar terceiro
foi guisado
em três lugares de dor
a qual maior
com a lenha do madeiro
mais prezado.
Come-se com gram tristura,
porque a Virgem gloriosa
o viu guisar:

viu cravar com gram crueza
a sua riqueza,
e sua perla preciosa
viu furar.

E a este passo tira Santo Agostinho os Cravos, e todos de joelhos os adoram cantando: *Dulce lignum, dulcis clavus*. E acabada a adoração diz o Anjo à Alma:

Anjo Deixai ora esses arreios,
que est'outra não se come assim
como cuidais.
Pera as almas são mui feios,
e são meios
com que não andam em si
os mortais.

Despe a Alma o vestido e joias que lh'e inimigo deu, e diz Agostinho:

Agostinho Ó Alma bem aconselhada,
que dais o seu a cujo é:
o da terra à terra!
Agora ireis despejada
pela estrada,
porque vencestes com fé
forte guerra.

Igreja Venha ess'outra iguaria.

Jerônimo A quarta iguaria é tal,
tão esmerada,
de tão infinda valia
e contia,
que na mente divinal

foi guisada,
por mistério preparada
no sacrário virginal.
mui coberta,
da divindade cercada
e consagrada,
depois ao Padre Eternal
dada em oferta.

Apresenta S. Jerônimo à Alma um Crucifixo, que tira d'entre os pratos; e os Doutores o adoram, cantando *Domine Jesus Christo*.
E, acabando, diz:

Alma Com que forças, com que espírito,
te darei, triste, louvores,
que sou nada,
vendo-te, Deus Infinito,
tão aflito,
padecendo Tu as dores,
e eu culpada?
Como estás tão quebrantado,
Filho de Deus imortal!
Quem Te matou?
Senhor, per cujo mandado
és justiçado,
sendo Deus universal,
que nos criou?

Agostinho A fruta deste jantar
que neste altar vos foi dado
com amor
iremos todos buscar
ao pomar

adonde está sepultado
o Redentor.

E todos com a Alma, cantando *Te Deum laudamus;* foram adorar o momento.

LAUS DEO

FIM

AUTO DA MOFINA MENDES

Figuras:

A Virgem	Braz Carrasco
Paio Vaz	Fé
Prudência	Barba Triste
Pessival	O Anjo Gabriel
Pobreza	Tibaldinho
Mofina Mendes	S. José
Humildade	Anjos.

A obra seguinte foi representada ao excelente príncipe e muito poderoso rei dom

João III, endereçada às matinas do Natal, na era do Senhor 1534.

Entra primeiramente um Frade, e a modo de pregação diz o que se segue:

Fra. Três coisas acho que fazem
ao doido ser sandeu:
uma ter pouco siso de seu,
a outra, que esse que tem

não lhe presta mal nem bem:
e a terceira,
que endoidece em grã maneira,
é o favor (livre-nos Deus)
que faz do vento cimeira,
e do toutiço moleira,
e das ondas faz ilhéus.

Diz Francisco de Mairões,
Ricardo e Boaventura,
não me lembra em que escritura,
nem sei em quais distinções,
nem a cópia das razões;
mas o latim
creio que dizia assim:
Nolite vanitatis debemus con lidere de
his, qui capita sua posuerunt in
[manibus ventorum etc.

Quer dizer este matiz
entre os primores que traz:
não é sisudo o juiz
que tem jeito no que diz
e não acerta o que faz.
Diz Boécio – de *consolationis*,
Origines – Marci Aureli,
Sailustius – *Catilinarium*,
Josefo – *speculum beili*,
glosa *interliniarum*;

Vicentius – scala coeli,
magister sententiarum,
Demosthenes, Calistrato;

todos estes concertaram
com Scoto, livro quarto.
Dizem: não vos enganeis,
letrados de rio torto,
que o porvir não no sabeis,
e quem nisso quer pôr pés
tem cabeça de minhoto.

O bruto animal da serra,
ó terra filha do barro,
como sabes tu, bebarro,
quando há-de tremer a terra,
que espantas os bois e o carro?
– pelos quais *dixit Anselmus*,
e Seneca – *Vandaliarum*,
e Plinius – *Choronicarum*,
et ta, nen glosa ordinária
et Alexander – de *aliis*,
Aristóteles – de *secreta secretorum*:

Albertus Magnus,
Tuilius Ciceronis,
Ricardus, Ilarius, Remigius,
dizem, convém a saber:
se tens prenhe tua mulher
e por ti o compuseste,
queria de ti entender
em que hora há-de nascer,
ou que feições há-de ter
esse filho que fizeste.

Não no sabes, quanto mais
cometerdes falsa guerra,

presumindo que alcançais
os secretos divinais
que estão debaixo da terra,
pelo qual diz *Quintus Curtius*,
Beda – de *religione christiana*,
Thomas – *super trinitas alternati*,
Agustinus – de *angelorum choris*,
Hieronimus – *d'alphabetus hebraice*,
Bernardus – de *virgo assumptionis*,
Remigius – de *dignitate sacerdotum*.

Estes dizem juntamente
nos livros aqui alegados:
se filhos haver não podes,
nem filhas por teus pecados,
cria desses enjeitados,
filhos de clérigos pobres.
Pois tens saco de cruzados,
lembre-te o rico avarento,
que nesta vida gozava
e no inferno cantava:
água, Deus, água,
que lhe arde a pousada.

Mandaram-me aqui subir
neste santo anfiteatro,
para aqui introduzir
as figuras que hão-de vir
com todo seu aparato.

É de notar
que haveis de considerar
isto ser contemplação

fora da história geral,
mas fundada em devoção.

A qual obra é chamada
os mistérios da Virgem,
que entrará acompanhada
de quatro Damas, com quem
de menina foi criada:
a uma chamam Pobreza,
outra chamam Humildade;
damas de tanta nobreza,
que tod'alma que as preza
é morada da Trindade.

À outra, terceira delas,
chamam Fé por excelência;
à outra chamam Prudência,
e virá a Virgem com elas,
com mui formosa aparência:
será logo o fundamento
tratar da saudação,
e depois deste sermão
um pouco do nascimento;
tudo por nova invenção.

Antes disto que dissemos,
virá com música *orfea*
Domine labia mea,
e *Venite adoremus*
vestido com capa alhea.
Trará *Te Deum laudamus*
d'escarlata uma libré:
Jam lucis orto sidere

cantará o *benedicamus,*
pela grã festa que é.

Quem terra, *pontus, aethera*
virá muito sossegado
num sendeiro mal pensado
e num gião de tafetá
e um gorra de orelhado.

Neste passo entra Nossa Senhora, vestida como rainha, com as ditas donzelas, e diante quatro anjos com música: e depois de assentadas, começam cada uma de estudar por seu livro, e diz:

Vir. Que ledes, minhas criadas?
Que achais escrito aí?

Pru. Senhora, eu acho aqui
grandes coisas inovadas,
e mui altas para mi.
Aqui a Sibila Ciméria
diz que Deus será humanado
de uma virgem sem pecado,
que é profunda matéria
para meu fraco cuidado.

Pob. *Erutea* profetisa
diz aqui também o que sente:
que nascerá pobremente,
sem cueiro nem camisa,
nem coisa com que se aquente.

Hum. E o profeta Isaías
fala nisto também cá:
eis a Virgem conceberá
e parirá o Messias,
e flor virgem ficará.

Fé Cassandra del-rei Priamo
mostrou essa rosa frol
com um menino a par do sol
a César Otaviano,
que o adorou por Senhor.

Pru. *Rubum quem viderat Moïsen*
sarça, que no ermo estava,
sem lhe pôr lume ninguém;
o fogo ardia mui bem,
e a sarça não se queimava.

Fé Significa a Madre de Deus:
esta sarça é ela só;
e a escada que viu Jacó,
que subia aos altos céus,
também era de seu avô.

Pru. Deve de ser por razão
de todas perfeições cheia
toda, quem quer que ela é.

Num. Aqui a chama Salomão
toa pulebra arnica mea,
et macula non est in te.

E diz mais, que é porta coeil
et electa ut sol,
bálsamo mui oloroso,
pulchra ut lilium gracioso
das flores mais linda flor,
dos campos o mais formoso:
chama-se *plantatio rosa*,
nova oliva especiosa,
mansa columba Noe,
estrela a mais luminosa.

Pru. *Et acies ordinata*,
formosa filha d'el-rei
de Jacó, *et tabernacula*
speculum sine macula,
ornata civitas Dei.

Fé Mais diz ainda Salomão:
Hortus conclusus, fios hortorum,
medecina peccatorum,
direita vara de Arão,
alva sobre quantas foram,
santa sobre quantas são.

E seus cabelos polidos
são formosos em seu grado
como manadas de gado,
e mais que os campos floridos
em que anda apascentado.

Pru. É tão zeloso o Senhor,
que quererá o seu estado
dar ao mundo por favor,

por uma Eva pecador,
uma virgem sem pecado.

Vir. Oh! se eu fosse tão ditosa
que com estes olhos visse
senhora tão preciosa,
tesouro da vida nossa,
e por escrava a servisse!
Que onde tanto bem se encerra,
vendo-a cá entre nós,
nela se verão os céus,
e as virtudes da terra
e as moradas de Deus.

Neste passo entra o Anjo Gabriel, dizendo:

Gab. Oh! Deus te salve, Maria,
cheia de graça graciosa,
dos pecadores abrigo!
Goza-te com alegria,
humana e divina rosa,
porque o Senhor é contigo.

Vir. Prudência, que dizeis vás?
que eu muito turbada sou;
porque tal saudação
não se costuma entre nós.

Pru. Pois que é auto do Senhor,
senhora, não esteis turbada;
tornai em vossa color,
que, segundo o embaixador,
tal se espera a embaixada.

Gab. Ó Virgem, se ouvir me queres,
mais te quero inda dizer:
benta és tu em mereceres
mais que todas as mulheres,
nascidas e por nascer.

Vir. Que dizeis vós, Humildade?
– que este verso vai mui fundo,
porque eu tenho por verdade
ser em minha qualidade
a menos cousa do mundo.

Hum. O Anjo, que dá o recado,
sabe bem disso a certeza.
Diz Davi, no seu tratado,
qu'esse espírito assim humilhado
é cousa que Deus mais preza.

Gab. Alta Senhora, saberás
que tua santa humildade
te deu tanta dignidade,
que um filho conceberás
da divina Eternidade.
Seu nome será chamado
Jesus e Filho de Deus;
e o teu ventre sagrado
ficará horto cerrado,
e tu – Princesa dos Céus.

Vir. Que direi, Prudência minha?
a vós quero por espelho.

Pru. Segundo o caso caminha,
deveis, senhora rainha,
tomar com o Anjo conselho.

Vir. *Quomodo fiat istud,*
quoniam virum non cognosco?
porque eu dei minha pureza
ao Senhor, e meu poder,
com toda minha firmeza.

Gab. *Spiritus sanctus superveniet in te;*
e a virtude do Altíssimo,
Senhora, te cobrirá;
porque seu filho será,
e teu ventre sacratíssimo
por graça conceberá.

Vir. Fé, dizei-me vosso intento,
que este passo a vós convém.
Cuidemos nisto mui bem,
porque a meu consentimento
grandes dúvidas lhe vêm.

Justo é que imagine eu,
e que este muito turbada:
querer quem o mundo é seu,
sem merecimento meu,
entrar em minha morada,
e uma suma perfeição,
de resplendor guarnecido,
tomar para seu vestido
sangue do meu coração,
indigno de ser nascido!

E aquele que ocupa o mar,
enche os céus e as profundezas,
os orbes e redondezas;
em tão pequeno lugar
como poderá estar
a grandeza das grandezas!

Gab. Porque tanto isto não peses,
nem duvides de querer,
tua prima Elisabete
é prenhe, e de seis meses.
E tu, Senhora, hás-de crer
que tudo a Deus é possível,
e o que é mais impossível,
lhe é o menos de fazer.

Vir. Anjo, perdoai-me vós,
que com a Fé quero falar:
pedirei sinal dos Céus.

Fé Senhora, o poder de Deus
não se há-de examinar.

Nem deveis de duvidar,
pois sois dele tão querida.

Gab. E d'abinitio escolhida,
e manda-vos convidar,
para madre vos convida.

Vir. *Ecce ancilia Domini*,
faça-se sua vontade
no que sua Divindade

mandar que seja de mi,
e de minha liberdade.

Neste passo se vai o Anjo Gabriel, e os anjos à sua partida tocam seus instrumentos, e cerra-se a cortina. Juntam-se os pastores para o tempo do nascimento. Entra primeiro André e diz:

And. Eu perdi, se s'acontece,
a asna ruça de meu pai.
O rasto por aqui vai,
mas a burra não parece,
nem sei em que vale cai.
Leva os tarros e apeiros,
e o surrão cos chocalhos,
os samarros dos vaqueiros,
dois sacos de pães inteiros,
porros, cebolas e alhos.

Leva as peas da boiada,
as carrancas dos rafeiros,
e foi-se a pascer folhada,
porque besta despeada
não pasce nos sovereiros.
E se ela não parecer
até por noite fechada,
não temos hoje prazer,
que na festa sem comer
não há i gaita temperada.

Entra Paio Vaz e diz:

Pai. Mofina Mendes é cá
c'um fato de gado meu?

And. Mofina Mendes ouvi eu
assoviar, pouco há,
no vale de João Viseu.

Pai. Nunca esta moça sossega,
nem samica quer fortuna:
anda em saltos como pega,
tanto faz, tanto trasfega,
que a muitos importuna.

And. Mofina Mendes quanto há
que vos serve de pastora?

Pai. Bem trinta anos haverá,
ou creio que os faz agora;
mas sossego não alcança,
não sei que maleita a toma:
ela deu o saco em Roma
e prendeu el-rei de França;
agora andou com Mafoma
e pôs o turco em balança.

Quando cuidei que ela andava
co meu gado onde soia,
pardeus! Ela era em Turquia,
e os turcos amofinava,
e a Carlos César servia.
Diz que assim resplandecia
neste capitão do céu,
a vontade que trazia,
que o turco esmoreceu
e a gente que o seguia.

Receou a guerra crua
que o César lhe prometia;
entonces per aliam viam
reverte *sunt in* patria sua
com quanta gente trazia.

Entra Pessival.

Pes. Achaste a tua burra, André?

And. Bofá não.

Pes. Não pode ser.
Busca bem, deixa o fardel,
que a burra não era mel,
que a haviam de comer.

And. Saltariam pegas nela
por causa da matadura.

Pes. Pardeus! Essa seria ela!
E que pega seria aquela
que lhe tire a albardadura?

Pai. Mas crê que andou por aí
Mofina Mendes, rapaz;
que, segundo as cousas faz,
se isto não for assim,
que não seja eu Paio Vaz.

Ora chama tu por ela,
e aposto-te a carapuça

que a negra burra ruça
Mofina Mendes deu nela.

And. Mofina Mendes!
Ah Mofina Mendes!

Mof. Que queres, André?
Que hás?

(de longe)

And. Vem tu cá, e vê-lo-ás;
e se hás-de vir, logo vem,
e acharás aqui também
a teu amo Paio Vaz.

Entra Mofina Mendes, e diz Paio Vaz:

Pai. Onde deixas a boiada
e as vacas, Mofina Mendes?

Mof. Mas, que cuidado vós tendes
de me pagar a soldada
que há tanto que me retendes?

Pai. Mofina, dá-me conta tu
onde fica o gado meu.

Mof. A boiada não vi eu,
andam lá não sei por u,
nem sei que pacigo é o seu.

Nem as cabras não nas vi,
samicas cos arvoredos;

mas não sei a quem ouvi
que andavam elas por i
saltando pelos penedos.

Pai. Dá-me conta rês e rês,
pois pedes todo teu frete.

Mof. Das vacas morreram sete,
e dos bois morreram três.

Pai. Que conta de negregura!
Que tais andam os meus porcos?

Mof. Dos porcos os mais são mortos
de magreira e má ventura.

Pai. E as minhas trinta vitelas
das vacas, que te entregaram?

Mof. Creio que i ficaram delas,
porque os lobos dizimaram,
e deu olho mau por elas,
que mui poucas escaparam.

Pai. Dize-me, e dos cabritinhos
que recado me dás tu?

Mof. Eram tenros e gordinhos,
e a zorra tinha filhinhos
e levou-os um e um.

Pai. Essa zorra, essa malina,
se lhe correras trigosa,
não fizera essa chacina,

porque mais corre a Mofina
vinte vezes que a raposa.

Mof. Meu amo, já tenho dada
a conta do vosso gado
muito bem, com bom recado;
pagai-me minha soldada,
como temos concertado.

Pai. Os carneiros que ficaram,
e as cabras, que se fizeram?

Mof. As ovelhas reganharam,
as cabras engafeceram,
os carneiros se afogam,
e os rafeiros morreram.

Pes. Paio Vaz, se queres gado,
dá ao demo essa pastora:
paga lhe o seu, vá-se embora
ou má-hora, e põe o teu em recado.

Pai. Pois Deus quer que pague e peite
tão daninha pegureira,
em pago desta canseira
toma este pote de azeite
e vai-o vender à feira;
e quiçais medrarás tu
o que eu contigo não posso.

Mof. Vou-me à feira de Trancoso
logo, nome de Jesus,
e farei dinheiro grosso.

Do que este azeite render
comprarei ovos de pata,
que é a coisa mais barata
que eu de lá posso trazer;
e estes ovos chocarão;
cada ovo dará um pato,
e cada pato um tostão,
que passará de um milhão
e meio, a vender barato.
Casarei rica e honrada
por estes ovos de pata,
e o dia que for casada
sairei ataviada
com um brial de escarlata,
e diante o desposado,
que me estará namorando:
virei de dentro bailando
assim dest'arte bailado,
esta cantiga cantando.

Estas cousas diz Mofina Mendes com o pote de azeite à cabeça e, andando enlevada no baile, cai-lhe, e diz:

Pai. Agora posso eu dizer,
e jurar, e apostar,
que és Mofina Mendes toda.

Pes. E s'ela bailava na boda,
qu'está ainda por sonhar,
e os patos por nascer,
e o azeite por vender,
e o noivo por achar,
e a Mofina a bailar;
que menos podia ser?

Vai-se Mofina Mendes, cantando.

Mof. Por mais que a dita me enjeite,
pastores, não me deis guerra;
que todo o humano deleite,
como o meu pote de azeite,
há-de dar consigo em terra?

Entram outros pastores, cujos nomes são: Bráz Carrasco, Barba Triste e Tibaldinho; e diz:

Bra. O Pessival meu vizinho!

Pes. João Carrasco, dize, – viste
a burra desse outeirinho?

Bra. Pergunta tu a Tibaldinho,
ou pergunta a Barba Triste,
ou pergunta a João Calveiro.

Joã. O fato trago eu aqui,
e a burra eu a meti
na corte do Rabileiro.
Nós deitemo-nos por ai.

Andamos todos cansados,
O gado seguro está:
e nós aqui abrigados
durmamos senhos bocados,
que a meia-noite vem já.

Neste passo se deitam a dormir os pastores; e logo se segue a segunda parte, que é uma breve contemplação sobre o Nascimento.

O cordeiro divinal,
precioso verbo profundo,
vem-se a hora
em que teu corpo humanal
quer caminhar pelo mundo.
Desde agora
sairás ao campo mundano
a dar crua e nova guerra
aos inimigos,
e glória a Deus soberano
In excelsis et in terra
pax hominibus.

Sairá o nobre Leão,
rei da tribo de Judá,
Radix David;
o duque da promissão
como esposo sairá
do seu jardim.
E o Deus dos anjos servido,
sanctus, sanctus, sem cessar
lhe cantando,
vereis em palhas nascido
suspirando.

E porque a noite é quase meia,
e são horas que esperemos
seu nascer,
ide, Fé, por essa aldeia
acender esta candeia,
pois outras tochas não temos
que acender; e sem serdes perguntada,
nem lhes vir pela memória,

direis em cada pousada
qu'esta é a vela da glória.

Neste passo José e a Fé vão acender a candeia, e a Virgem com as Virtudes, de joelhos, a versos rezam este Salmo:

Vir. Ó devotas almas feliz,
para sempre sem cessar
Laudate Dominum de coelis,
Laudate eum in excelsis,
quanto se pode louvar.

Pru. Louvai, anjos do Senhor,
ao Senhor das altezas,
e toda las profundezas,
louvai vosso criador
com todas suas grandezas.

Hum. *Lauda te eum, Sol et Luna,*
laudate eum, stella et lumen,
et lauda Hierusalem,
ao Senhor que te enfuna
neste portal de Belém.

Vir. Louvai o Senhor dos céus,
louvai-o, água das águas,
que sobre os céus sois firmadas;
e louvai o Senhor Deus,
relâmpagos e trovoadas.

Pru. *Laudate Dominum de terra,*
dracones et onnes abyssi,
e todas adversidades

de névoas e serra,
ventos, nuvens *et eclipsi*,
e louvai-o, tempestades.

Hum. *Bestiae et universa*
pecara, volucres, serpentes,
louvai-o, toda as gentes,
e toda a cousa diversa
que no mundo sois presentes.

Vem a Fé com a vela sem lume, e diz:

Jos. Não vos anojeis, Senhora,
pois estais em terra alheia,
ser o parto sem candeia,
porque as gentes d'agora
são de mui perversa veia.
Todos dormem a prazer,
sem lhes vir pela memória
que por força hão-de morrer;
e não querem acender
a santa vela da glória.

Huni. Deviam ter piedade
da Senhora peregrina,
romeira da Cristandade,
que está nesta escuridade,
sendo Princesa divina,
para exemplo dos senhores,
para lição dos tiranos,
para espelho dos mundanos,
para lei aos pecadores,
e memória dos enganos.

Fé Não fica por lho pregar,
não fica por lho dizer,
não fica por lho rogar;
mas não querem acordar
com pressa de adormecer.
Deles fazem que não ouvem,
e ouvem muito bem;
deles fazem que não veem,
e deles que não entendem
o que vai nem o que vem.

Sem memória nem cuidado
dormem em cama de flores,
feita de prazer sonhado:
seu fogo tão apagado
como em choça de pastores;
e vossa divina vela,
vossa eternal candeia,
feita da cera mais bela,
em cidade nem aldeia
não há aí lume pra ela.

Todo mundo está mortal,
posto em tão escuro porto
de uma cegueira geral,
que nem fogo, nem sinal,
nem vontade: tudo é morto.

Vir Prudência, i vós com ela,
que nas horas há aí mudança:
e acendei ess'outra vela,
que se chama da esperança,
e lhes convém acendê-la.

E dizei-lhe que o pavio
desta vela é a salvação,
e a cera o poderio
que tem o livre alvedrio,
e o lume a perfeição.

Jos. Senhora, não monta mais
semear milho nos rios,
que queremos por sinais
meter coisas divinais
nas cabeças dos bugios.

Mandai-lhe acender candeias,
que chamem ouro e fazenda,
e vereis bailar baleias,
porque irão tirar das veias
o lume com que se acenda.
E à gente religiosa
manda-lhes velas bispais;
a cera, de renda grossa;
os pavios, de casais;
e logo não porão grosa.

Pru. Senhora, a meu parecer,
para esta escuridade
candeia não há mister;
que o Senhor que há-de nascer
é a mesma claridade:
lumem ad revelationem gentium
é profetizado a nós,
e agora se há-de cumprir,
pois para que é ir e vir
buscar lume para vós,
pois lume haveis de parir?

Nem deveis de estar aflita,
para lhe guisar manjar,
porque é fartura infinita,
é chamado *Panis vita*,
não tendes que desejar.
E se para seu nascer
tão pobre casa escolheu,
não vos deveis de doer,
porque onde ele estiver
está a côrte do Céu.

Se cueiros vos dão guerra,
que os não tendes porventura,
não faltará cobertura
a quem os céus e a terra
vestiu de tal formosura.

Neste passo chora o Menino, posto num berço: as Virtudes cantando o embalam, e o Anjo vai aos pastores e diz cantando:

Anj. "Recordai, pastores!"

And. Ou de lá, que nos quereis?

Anj. "Que vos levanteis."

And. Para que, ou que vai lá?

Anj. "Nasceu em terra de Judá
um Deus só, que vos salvará."

And. E dou-lhe que fossem três:
eu não sei que nos quereis.

Anj. "Que vos levanteis."

And. Quero-m'eu erguer, entanto
veremos que isto quer ser.
Sempre me esquece o benzer
cada vez que me levanto.

(Os Anjos cantando)

Anj. "Ah pastor! Ah pastor!"

And. Que nos quereis, escudeiros?

Anj. "Chama todos teus parceiros,
vereis vosso Redentor."

And. Não durmais mais, Paio Vaz,
ouvireis cantar aquilo.

Pai. Ora tu não vês que é grilo?
Vai-te daí, aramá vás,
que eu não hei mister ouvi-lo.

And. Pessival, acorda já.

Pes. Acorda tu a João Carrasco.

Joã. Não creio eu em São Vasco,
se me tu acolhes lá.

And. Levanta-te, Barba Triste.

Bar. Tu que hás, ou que me queres?

And. Que vamos ver os prazeres,
que eu nem tu nunca viste.

Bar. Pardeus, vai tu se quiseres,
salvo se na refestela
me dessem bem de comer;
senão, deixa-me jazer,
que não hei-de bailar nela;
vai tu lá embora ter.

Acorda a Tibaldinho,
e ao Calveiro e outros três,
e a mim cobre-me os pés;
então vai-te teu caminho,
que eu hei-de dormir um mês.

Anj. Pastores, ide a Belém.

And. Tibaldinho, não te digo
que nos chama não sei quem?

Tib. Bem no ouço eu, porém
que tem Deus de ver comigo?

And. Isso é parvoejar:
levantai-vos, companheiros,
que por vales e outeiros
não fazem nego chamar
por pastores e vaqueiros.

Anj. Para a festa do Senhor
poucos pastores estais.

Pai. Vós bacelo quereis pôr,
ou fazer algum favor,
que tanta gente ajuntais?

Anj. Vós não sois oficiais
senão de guardardes gado.

Joã. Dizei, Senhor, sois casado?
Ou quando embora casais?

And. Oh como és desentoado!

Anj. Quisera que fôreis vós
vinte ou trinta pegureiros.

Pai. Antes que vós deis três voos,
bem ajuntaremos nós
nesta serra cem vaqueiros.

Anj. Ora trazei-os aqui,
e esperai naquela estrada,
que logo a Virgem sagrada
a Jerusalém vai por i
ao templo endereçada.

Tocam os Anjos seus instrumentos, e as Virtudes, cantando, e o pastores, ailando, se vão.

FIM

AUTO DA FEIRA

Figuras:

Mercúrio
Tempo
Serafim
Diabo
Roma
Amâncio Vaz
Diniz Lourenço
Branca Anes
Marta Dias
Justina
Leonarda
Teodora
Moneca
Giralda
Juliana
Tesaura
Merenciana
Dorotéia
Gilberto
Nabor
Dionísio
Vicente
Mateus

A obra seguinte é chamada *Auto da feira*. Foi representada ao mui excelente príncipe el rei dom João, o terceiro em Portugal deste nome, na sua nobre e sempre leal cidade de Lisboa, às matinas do Natal, na era do Senhor de 1527.

Entra primeiramente Mercúrio, e posto em seu assento, diz:

Mercúrio Pera que me conheçais,
e entendais meus partidos,
todos quantos aqui estais
afinai bem os sentidos,
mais que nunca, muito mais.
Eu sou estrela do céu,
e depois vos direi qual,
e quem me cá descendeu
e a quê, e todo o al
que me a mi aconteceu.

E porque a astronomia
anda agora mui maneira,
mal sabida e lisonjeira,
eu, à honra deste dia,
vos direi a verdadeira.
Muitos presumem saber
as operações dos céus,
e que morte hão-de morrer,
e o que há-de acontecer
aos anjos e a Deus,

e ao mundo e ao diabo.
E que o sabem têm por fé;
e eles todos em cabo
terão um cão polo rabo,
e não sabem cujo é.
E cada um sabe o que monta
nas estrelas que olhou;
e ao moço que mandou,
não lhe sabe tomar conta
d'um vintém que lh'entregou.

Porém, quero-vos pregar,
sem mentiras nem cautelas,
o que per curso d'estrelas
se poderá adivinhar,
pois no céu nasci com elas.
E se Francisco de Melo,
que sabe ciência avondo,
diz que o céu é redondo,
e o sol sobre amarelo;
diz verdade, não lh'o escondo.

Que se o céu fora quadrado,
não fora redondo, senhor.
E se o sol fora azulado,
d' azul fora a sua cor
e não fora assi dourado.
E porque está governado
per seus cursos naturais,
neste mundo onde morais
nenhum homem aleijado,
se for manco e corcovado,
não corre por isso mais.

E assi os corpos celestes
vos trazem tão compassados,
que todos quantos nascestes,
se nascestes e crescestes,
primeiro fostes gerados.
E que fazem os poderes
dos sinos resplandecentes?
Que fazem que toda as gentes
ou são homens ou mulheres,
ou crianças inocentes.

E porque Saturno a nenhum
influi vida continha,
a morte de cada um
é aquela de que se fina,
e não d'outro mal nenhum.
Outrossim o terremoto,
que às vezes causa perigo,
faz fazer ao morto voto
de não bulir mais consigo,
canta de seu próprio moto.

E a claridade acendida
dos raios piramidais
causa sempre nesta vida
que quando a vista é perdida,
os olhos são por demais.

E que mais quereis saber
desses temporais e disso,
senão que, se quer chover,
está o céu pera isso,
e a terra pera a receber?
a lua tem este jeito:
vê que clérigos e frades
já não têm ao Céu respeito,
mingua-lhes as santidades,
e cresce-lhes o proveito.

Et quantum ad stella Mars, speculum belli, et Venus,
Regina musicae, secundum Joanes Monteregio:

Mars, planeta dos soldados,
faz nas guerras conteúdas,

em que os reis são ocupados,
que morrem de homens barbados
mais que mulheres barbudas.
E quando Vênus declina,
e retrograda em seu cargo,
não se paga o desembargo
no dia que s' ele assina
mas antes por tempo largo.

Et quantum ad Taurus et Aries, Cancer Capricornius positus in firmamento coeli:

E quanto ao Touro e Carneiro,
são tão maus d' haver agora
que quando os põe no madeiro,
chama o povo ao carniceiro
Senhor, c'os barretes fora.
Depois do povo agravado,
que já mais fazer não pode,
invoca o signo do Bode,
Capricórnio chamado,
porque Libra não lhe acode.

E se este não hás tomado,
nem Touro, Carneiro assi,
vai-te ao sino do Pescado,
chamado *Piscis* em latim,
e serás remedeado:
e se *Piscis* não tem ensejo,
porque pode não no haver,
vai-te ao signo do Caranguejo,
Signum Cancer, Ribatejo,
que está ali a quem no quer.

Sequuntur mirabilia Jupiter Rex regum, Dominus dominantium.

Júpiter, rei das estrelas,
deus das pedras preciosas,
mui mais precioso qu' elas
pintor de toda las rosas,
rosa mais formosa delas;
é tão alto seu reinado,
influência e senhoria,
que faz percurso ordenado
que tanto vale um cruzado
de noite como de dia.

E faz que uma nau veleira
mui forte, muito segura,
que inda que o mar não queira,
e seja de cedro a madeira,
não preste sem pregadura.

Et quantum ad duodecim domus Zodiacus, sequitur declaratio operationem suam.

Ao Zodíaco acharão
doze moradas palhaças,
onde os sinos estão
no Inverno e no Verão,
dando a Deus infindas graças.
Escutai bem, não durmais,
sabereis por conjeturas
que os corpos celestiais
não são menos nem são mais
que suas mesmas granduras.

E os que se desvelaram,
se das estrelas souberam,
foi que a estrela que olharam,
está onde a puseram,
e faz o que lhe mandaram.
E cuidam que Ursa Maior,
Ursa Menor e o Dragão,
e *Lepus*, que têm paixão,
porque um corregedor
manda enforcar um ladrão.

Não, porque as constelações
não alcançam mais poderes,
que fazer que os ladrões
sejam filhos de mulheres,
e os mesmos pais varões.
E aqui quero acabar.

E pois vos disse até aqui
o que se pode alcançar,
quero-vos dizer de mi,
e o que venho buscar.

Eu são Mercúrio, senhor
de muitas sabedorias,
e das moedas reitor,
e deus das mercadorias:
nestas tenho meu vigor.
Todos tratos e contratos,
valias, preços, avenças,
carestias e baratos,
ministro suas pertenças,
até às compras dos sapatos.

E porquanto nunca vi
na corte de Portugal
feira em dia de Natal,
ordeno uma feira aqui
pera todos em geral.
Faço mercador-mor
ao Tempo, que aqui vem;
e assi o hei por bem.
E não falte comprador.
Porque o tempo tudo tem.

Entra o Tempo, e arma uma tenda com muitas cousas e diz:

Tempo Em nome daquele que rege nas praças
d'Anvers e Medina as feiras que têm,
começa-se a feira chamada das Graças,
à honra da Virgem parida em Belém.
Quem quiser feirar,
venha trocar, qu' eu não hei de vender;
todas virtudes qu' houverem mister
nesta minha tenda as podem achar,
a troco de cousas que hão-de trazer.

Todos remédios, especialmente
contra fortunas ou adversidades
aqui se vendem na tenda presente;
conselhos maduros de sãs qualidades
aqui se acharão.
A mercadorias d' amor a razão
justiça e verdade, a paz desejada,
porque a Cristandade é toda gastada
só em serviço da opinião.

Aqui achareis o temor de Deus,
que é já perdido em todos Estados;
aqui achareis as chaves dos Céus,
muito bem guarnecidas em cordões dourados.
E mais achareis
soma de contas, todas de contar
quão poucos e poucos haveis de lograr
as feiras mundanas; e mais contareis
as contas sem conto qu' estão por contar.
E porque as virtudes, Senhor Deus, que digo,
se foram perdendo de dias em dias,
com a vontade que deste ó Messias
memoria o teu Anjo que ande comigo,
Senhor, porque temo
ser esta feira de maus compradores,
porque agora os mais sabedores
fazem as compras na feira do Demo,
e os mesmos diabos são seus corretores.

Entra um serafim enviado por Deus a petição do Tempo, e diz:

Serafim À feira, a feira igrejas, mosteiros,
pastores das almas, Papas adormidos;
comprai aqui panos, mudai os vestidos,
buscai as samarras dos outros primeiros,
os antecessores.
Feirai o carão que trazeis dourado;
ó presidentes do crucificado,
lembrai-vos da vida dos santos pastores
do tempo passado.

Ó príncipes altos, império facundo,
guardai-vos da ira do Senhor dos Céus;

comprai grande soma do temor de Deus
na feira da Virgem, Senhora do Mundo,
exemplo da paz,
pastora dos anjos, luz das estrelas.
À feira da Virgem, donas e donzelas,
porque este mercador sabei que aqui traz
as cousas mais belas.

Entra um Diabo com uma tendinha adiante de si, como bofalinheiro, e diz:

Diabo Eu bem me posso gavar,
e cada vez que quiser,
que na feira onde eu entrar
sempre tenho que vender,
e acho quem me comprar.

E mais, vendo muito bem,
porque sei bem o que entendo;
e de tudo quanto vendo
não pago siza a ninguém
por tratos que ande fazendo.

Quero-me fazer à vela
nesta santa feira nova.
Verei os que vêm a ela,
e mais verei quem m'estorva
de ser eu o maior dela.

Tempo És tu também mercador,
que a tal feira t'ofereces?

Diabo Eu não sei se me conheces.

Tempo Falando com salvador, tu Diabo me pareces.

Diabo Falando com salvos rabos
inda que me tens por vil,
acharás homens cem mil
honrados, que são Diabos,
(que eu não tenho nem ceitil)
e bem honrados te digo,
e homens de muita renda,
que têm dívida comigo.
Pois não me tolhas a venda,
que não hei nada contigo.

Tempo ao Serafim:

Tempo Senhor, em toda maneira
acudi a este ladrão,
que há-de danar a feira.

Diabo Ladrão? Pois haj' eu perdão
se vos meter em canseira.
Olhai cá, Anjo de bem,
eu, como cousa perdida,
nunca me tolhe ninguém
que não ganhe minha vida,
como quem vida não tem.

Vendo dessa marmelada,
e às vezes grãos torrados,
isto não releva nada;
e em todo os mercados
entra a minha quintalada.

Serafim Muito bem sabemos nós
que vendes tu cousas vis.

Diabo I há de homens ruins
mais mil vezes que não pôs,
como vós mui bem sentis.

E estes hão-de comprar
disto que trago a vender,
que são artes de enganar,
e cousas pera esquecer
o que deviam lembrar.
Que o sages mercador
há-de levar ao mercado
o que lhe compram melhor;
porque a ruim comprador
levar-lhe ruim borcado.

E mais as boas pessoas
são todas pobres a eito;
e eu por este respeito
nunca trato em cousas boas,
porque não trazem proveito.
Toda a glória de viver
das gentes é ter dinheiro,
e quem muito quiser ter
cumpre-lhe de ser primeiro
o mais ruim que puder.

E pois são desta maneira
os contratos dos mortais,
não me lanceis vós da feira
onde eu hei de vender mais
que todos à derradeira.

Serafim Venderás muito perigo,
que tens nas trevas escuras.

Diabo Eu vendo perfumaduras,
que, pondo-as no umbigo,
se salvam as criaturas.
Às vezes vendo virotes,
e trago d' Andaluzia
naipes com que os sacerdotes
arreneguem cada dia,
e joguem até os pelotes.

Serafim Não venderás tu aqui isso,
que esta feira é dos céus:
vai lá vender ao abisso,
logo, da parte de Deus!

Diabo Senhor, apelo eu disso.
S'eu fosse tão mau rapaz
que fizesse força a alguém,
era isso muito bem;
mas cada um veja o que faz,
porque eu não forço ninguém.
Se me vem comprar qualquer
clérigo, ou leigo, ou frade
falsas manhas de viver,
muito por sua vontade;
senhor, que lh' hei de fazer?
E se o que quer bispar
há mister hipocrisia
e com ela quer caçar,
tendo eu tanta em perfia,
porque lh' a hei de negar?

E se uma doce freira
vem à feira
por comprar um inguento,
com que voe do convento,
senhor, inda que eu não queira,
lh' hei-de dar aviamento.

Mercúrio Alto, Tempo, aparelhar,
porque Roma vem à feira.

Diabo Quero-me eu concertar,
porque lhe sei a maneira
de seu vender e comprar.

Entra Roma, cantando:

Roma "Sobre mi armavam guerra;
ver quero eu quem a mi leva.

Três amigos que eu havia,
sobre mi armam porfia;
ver quero eu quem a mi leva."

Fala:

Vejamos se nesta feira,
que Mercúrio aqui faz,
acharei a vender paz,
que me livre da canseira
em que a fortuna me traz.
Se os meus me desbaratam,
o meu socorro onde está
Se os Cristãos mesmos me matam,

a vida quem m'a dará,
que todos me desacatam?

Pois s'eu aqui não achar
a paz firme e de verdade
na santa feira a comprar,
cant'a mi dá-me a vontade
que mourisco hei-de falar.

Diabo Senhora, se vos prouver,
eu vos darei bom recado.

Roma Não pareces tu azado
pera trazer a vender
o que eu trago no cuidado.
Não julgueis vós pela cor,
porque em al vai o engano;
cá dizem que sob mau pano
está o bom bebedor;
nem vós digais mal do ano.
Eu venho à feira direita
comprar paz, verdade e fé.

Diabo A verdade pera quê?
Cousa que não aproveita,
e aborrece, pera que é?
Não trazeis bons fundamentos
pera o que haveis mister;
e a segundo são os tempos,
assim hão-de ser os tentos,
pera saberdes viver.

E pois agora à verdade
chamam Maria Peçonha,
e parvoíce à vergonha,
e aviso à ruindade,
peitai a quem vo-la ponha,
a ruindade digo eu:
e aconselho-vos mui bem,
porque quem bondade tem
nunca o mundo será seu,
e mil canseiras lhe vem.

Vender-vos-ei nesta feira
mentiras vinte três mil,
todas de nova maneira,
cada uma tão subtil,
que não vivais em canseira:
mentiras pera senhores,
mentiras pera senhoras,
mentiras pera os amores,
mentiras, que a todas as horas
vos nasçam delas favores.

E como formos avindos
nos preços disto que digo,
vender-vos-ei como amigo
muitos enganos infindos,
que aqui trago comigo.

Roma Tudo isso tu vendias,
e tudo isso feirei tanto,
que inda venderei,
e outras sujas mercancias,
que por meu mal te comprei.

Porque a troco do amor
de Deus, te comprei mentira,
e a troco do temor
que tinha da sua ira,
me deste o seu desamor;
e a troco da fama minha
e santas prosperidades,
me deste mil torpidades;
e quantas virtudes tinha
te troquei pelas maldades.
E pois já sei o teu jeito,
quero ir ver que vai cá.

Diabo As cousas que vendem lá
são de bem pouco proveito
a quem quer que as comprará.

Vai-se Roma ao Tempo e Mercúrio e diz Roma:

Roma Tão honrados mercadores
não podem deixar de ter
cousas de grandes primores;
e quant' eu houver mister
deveis vós de ter, senhores.

Serafim Sinal é de boa feira
virem a ela as donas tais,
e pois vós sois a primeira,
queremos ver que feirais
segundo vossa maneira.

Cá, se vós a paz quereis
senhora, sereis servida,

e logo a levareis
a troco de santa vida;
mas não sei se a trazeis.
Porque, senhora eu me fundo
que quem tem guerra com Deus,
não pode ter paz c'o mundo;
porque tudo vem dos céus,
daquele poder profundo.

Roma A troco das estações
não fareis algum partido,
e a troco dos perdões,
que é tesouro concedido
pera quaisquer remissões?
Oh, vendei-me a paz dos céus,
pois tenho o poder na terra.

Serafim Senhora, a quem Deus dá guerra,
grande guerra faz a Deus,
que é certo que Deus não erra.
Vede vós que lhe fazeis,
vede como o estimais,
vede bem se o temeis;
atentai com quem lidais,
que temo que caireis.

Roma Assi que a paz não se dá a troco de jubileus?

Mercúrio Ó Roma,
sempre vi lá que matas pecados cá,
e deixas viver os teus.
Tu não te corras de mi;
mas com teu poder facundo
assolves a todo o mundo,

e não te lembras de ti,
nem vês que te vás ao fundo.

Roma Ó Mercúrio, valei-me ora, que vejo maus aparelhos.

Mercúrio Dá-lhe, Tempo, a essa senhora
o cofre de meus conselhos:
e podes-te ir muit' embora.
Um espelho aí acharás,
que foi da Virgem Sagrada,
co' ele te toucarás
porque vives mal toucada,
e não sentes como estás:
e acharás a maneira
como emendes a vida:
e não digas mal da feira;
porque tu serás perdida,
se não mudas a carreira.

Não culpes aos reis do mundo,
que tudo te vem de cima,
pelo que fazes cá em fundo:
que, ofendendo a causa prima,
se resulta o mal segundo.
E também o digo a vós
e a qualquer meu amigo,
quem não quer guerra consigo:
tenha sempre paz com Deus,
e não temerá perigo.

Diabo Propósito frei Sueiro,
diz lá o exemplo velho:
dá-me tu a mi dinheiro,
e dá ao demo o conselho.

Depois de ida Roma, entram dous lavradores, um per nome Amâncio Vaz e outro Diniz Lourenço, e diz Amâncio Vaz:

Amâncio Vaz Compadre, vás tu à feira?

Diniz Lourenço À feira, compadre.

Amâncio Vaz Assi, ora vamos eu e ti
ó longo desta ribeira.

Diniz Lourenço Vamos.

Amâncio Vaz Folgo bem de
te vir aqui achar.

Diniz Lourenço Vás tu lá buscar alguém,
ou esperas de comprar?

Amâncio Vaz Isso te quero contar,
e iremos patorneando,
e também aguardando
pelas moças do lugar.
Compadre, esta mulher
é muito destemperada,
e agora, se Deus quiser,
faço conta de a vender,
e dá-la-ei por quase nada.

Qu'eu quando casei com ela
diziam-me, "Hétega é".
E eu cuidei pela abofé
que mais cedo morresse ela,
e ela anda inda em pé.

E porque era hétega assim
foi o que m' a mim danou:
avonda qu'ela engordou
e fez-me hétego a mim.

Diniz Lourenço Tens boa mulher de teu:
não sei que tu hás, amigo.

Amâncio Vaz S'ela casara contigo renegaras
tu com' eu e disseras
o que eu digo.

Diniz Lourenço Pois, compadre, cant'à minha,
é tão mole e desatada,
que nunca dá peneirada
que não derrame a farinha.

E não põe cousa a guardar,
que a tope quando a cata;
e por mais que homem se mata,
de birra não quer falar.
Trás d'uma pulga andará
três dias, e oito, e dez,
sem lhe lembrar o que fez,
nem tão pouco o que fará.

Pera que t'hei-de falar?
Quando ontem cheguei do mato
pôs uma enguia a assar,
e crua a deixou levar,
por não dizer sape a um gato.
Quant'a mansa, mansa é ela;
dei-m'ê logo conta disso.

Amâncio Vaz Juro-t'eu que mais vale isso
cinquenta vezes qu'ela.
A minha te digo eu
que se a visses assanhada,
parece demoniada,
ante São Bartolameu.

Diniz Lourenço Já sequer terá esp'rito:
mas renega da mulher
que ó tempo do mister
não é cabra nem cabrito.

Amâncio Vaz A minha tinh'eu em guarda
pera bem da minha prol,
cuidando que era ourinol,
e tornou-se-me bombarda.
Folga tu que ess'outra tenhas,
porque a minha é tal perigo,
que por nada que lhe digo
logo me salta nas grenhas.
Então tanto punho seco
me chimpa nestes focinhos;
eu chamo pelos vizinhos,
e ela nego dar-me em seco.

Diniz Lourenço Isso é de coraçuda;
não cures de a vender,
que s'alguém te mal fizer,
já sequer tens quem te acuda.
Mas a minha é tão cortês,
que se viesse ora à mão
que m'espancasse um rascão,
não diria, "Mal fazês".

Mas antes s'assentaria
a olhar como eu bradava.
Todavia a mulher brava
é, compadre, a qu'eu queria.

Amâncio Vaz Pardeus! Tanto me farás que
feire a minha contigo.

Diniz Lourenço Se queres feirar comigo,
vejamos que me darás.

Amâncio Vaz Mas antes m' hás de tornar
pois te dou mulher tão forte,
que te castigue de sorte
que não ouses de falar,
nem no mato nem na corte.
Outro bem terás com ela:
quando vieres da arada,
comerás sardinha assada,
porqu' ela janta a panela.
Então geme, pardeus, si,
diz que lhe dói a moleira.

Diniz Lourenço Eu faria per maneira
que esperasse ela por mi.

Amâncio Vaz Que lh'havias de fazer?

Diniz Lourenço Amâncio Vaz,
eu o sei bem.

Amâncio Vaz Diniz Lourenço, ei-las cá vêm!
Vamo-nos nós esconder,
vejamos que vêm catar,

qu'elas ambas vêm à feira.
Mete-te nessa silveira,
Qu'eu daqui hei-d'espreitar.

Vêm Branca Anes a brava, e Marta Dias a mansa, e vem dizendo a brava:

Branca Anes Pois casei má hora, e nela,
e com tal marido, prima,
comprarei cá uma gamela,
para o ter debaixo dela,
e um grão penedo em cima.
Porque vai-se-me às figueiras,
e come verde e maduro;
e quantas uvas penduro
ajeita nas gorgomileiras:
parece negro monturo.

Vai-se-m'às ameixeiras
antes que sejam maduras,
ele quebra as cerejeiras,
ele vindima as parreiras,
e não sei que faz das uvas.
Ele não vai à lavrada,
ele todo o dia come,
ele toda a noite dorme,
ele não faz nunca nada,
e sempre me diz que há fome.

Jesus! Jesus! Posso-te dizer
e jurar e tresjurar,
e provar e reprovar,
e andar e revolver,
qu' é melhor pera beber,
que não pera maridar.

O demo que o fez marido,
que assim seco como é
beberá a torre da Sé!
Então arma um arruído
assi debaixo do pé.

Marta Dias Pois bom homem parece ele.

Diniz Lourenço Aquela é a minha frouxa.

Marta Dias Deu-t'ele a fraldinha roxa?

Branca Anes Melhor lh'esfole eu a pele.
Que homem há i da puxa.
Ó diabo que o eu dou,
que o leve em fatiota,
e o ladrão que m'o gabou;
e o frade que me casou
inda o veja na picota.

E rogo à Virgem da Estrela,
e a santa Gerjalem,
e os choros de Madalena
e à asninha de Belém,
que o veja ir à vela
pera donde nunca vem.

Diniz Lourenço Compadre, no mais sofrer:
sai de lá desse silvado.

Amâncio Vaz Pera eu ser arrepelado.
Não havi'eu mais mister.

Diniz Lourenço E não n'hás tu de vender?

Amâncio Vaz Tu dizes que a qués feirar.

Diniz Lourenço Não qu'ela se me tomar
deixar-m'á quando quiser.
Mas demo-las à má estreia;
e voto que nos tornemos,
e depois tornaremos
com as cachopas d'aldeia:
entonces concertaremos.

Amâncio Vaz Isso me parece a muito
melhor que eu ir lá.
Oh, que couces que me dá,
quando me colhe sob si!

Diniz Lourenço – Cant' àquela si dará.

Diabo Mulheres, vós que quereis?
Nesta feira que buscais?

Marta Dias Queremo-la ver, no mais.
Pera ver em que tratais,
e as cousas que vendeis.
Tendes vós aqui anéis?

Diabo Quejandos?
De que feição?

Marta Dias D'uns que fazem de latão.

Diabo Pera as mãos, ou pera os pés?

Marta Dias Não – Jesus, nome de Jesus,
Deus e homem verdadeiro!

Foge o Diabo e Marta Dias diz:

Marta Dias Nunca eu vi bofalinheiro
tão prestes tomar o mu.
Branc'Anes mana, crê tu
que, como Jesus é Jesus,
era este o Diabo inteiro.

Branca Anes Não é ele pau de boa lenha,
nem lenha de bom madeiro.

Marta Dias Bofé, nunc'ele cá venha.

Branca Anes Viagem de João Moleiro,
que foi pela cal d'azenha.

Marta Dias Pasmada estou eu
de Deus fazer
o Demo marchante!
Mana, daqui por diante
não caminhemos nós sós.

Branca Anes S'eu soubera quem ele era,
fizera-lhe bom partido:
que me levara o marido,
e quanto tenho lhe dera,
e o toucado e o vestido.
Inda que mais não levara
desta feira, em extremo.
Me alegrara e descansara,
se o vira levar o Demo,
e que nunca mais tornara.

Porque, inda que era Diabo,
fizera serviço a Deus,

e a mi mercê em cabo;
e viera-me dos céus,
como vem a frol ao nabo.

Vão-se ao Tempo e diz Marta Dias:

Marta Dias Dizei, senhores de bem,
nesta tenda, que vendeis?

Serafim Esta tenda tudo tem;
vede vós o que quereis,
que tudo se fará bem.
Consciência quereis comprar,
de que vistais vossa alma?

Marta Dias Tendes sombreiros de palma
muito bons pera segar,
e tapados pera a calma?

Serafim Consciência digo eu,
que vos leve ao Paraíso.

Branca Anes Não sabemos nós qu'é isso:
dai-o ó decho por seu,
que já não é tempo disso.

Marta Dias Tendes vós aqui burel,
do pardo de lã meirinha?

Branca Anes Eu queria uma pucarinha
pequenina pera mel.

Serafim Esta feira é chamada
das virtudes em seus tratos.

Marta Dias Das virtudes!
E há aqui patos?

Branca Anes Quereis feirar a cevada
quatro pares de sapatos?

Serafim Oh, piedoso Deus eterno!
Não comprareis pera os céus
um pouco d'amor de Deus
que vos livre do Inferno?

Branca Anes Isso é falar per pincéis.

Serafim Esta feira não se fez
para as cousas que quereis.

Branca Anes Pois cant' a essas que vendeis,
daqui afirmo outra vez
que nunca as vendereis.
Porque neste sigro em fundo
todos somos negligentes:
foi ar que deu pelas gentes,
foi ar que deu polo mundo,
de que as almas são doentes.

E se hão de correger
quando for todo danado:
muito cedo se há-de ver;
que já ele não pode ser
mais torto nem aleijado.
Vamo-nos, Marta, à carreira,
que as moças do lugar
virão cá fazer a feira,
que estes não sabem ganhar,
nem têm cousa que homem queira.

Marta Dias Eu não vejo aqui cantar,
nem gaita, nem tamboril,
e outros folgares mil,
que nas feiras soem d'estar:
e mais feira de Natal,
e mais de Nossa Senhora,
e estar todo Portugal.

Branca Anes S'eu soubera que era tal,
não estivera eu cá agora.

Vêm à feira nove moças dos montes, e três mancebos, todas com cestos nas cabeças, cobertos, cantando. E, como chegam, se assentam por ordem a vender; e diz-lhe o Serafim:

Serafim Pois vindes vender à feira,
sabei que é feira dos céus;
por tal, vendei de maneira
que não ofendais a Deus,
roubando a gente estrangeira.

Tesaura Responde-lhe, Leonarda,
tu Justina, ou Juliana.

Juliana Mas responda-lhe Giralda,
Tesaura, ou Merenciana.

Merenciana – Responde-lhe, Teodora,
porque creio que a ti creia.

Tesaura Responda-lhe Doroteia,
pois que mora,
junto c'o Juiz d'aldeia.

Doroteia Moneca responderá
que falou já com senhor.

Moneca Responde-lhe tu, Nabor,
contigo s'entenderá.
Ou Denísio, ou Gilberto,
qualquer de vós outros três
e não vos embaraceis ou torveis,
porque é certo
que bem vos entendereis.

Gilberto Estas cachopas não vêm
à feira nego a folgar,
e trazem de merendar
nestes cestos que i têm.

Mas pois quanto ao que entendo,
sois, samica, anjo de Deus;
quando partistes dos céus,
que ficava Ele fazendo?

Serafim Ficava vendo o seu gado.

Gilberto Santa Maria! Gado há lá?
Oh, Jesus! como o terá
o Senhor gordo e guardado!
E há lá boas ladeiras,
como na serra d'Estrela?

Serafim Si.

Gilberto E a Virgem que faz ela?

Serafim A Virgem olha as cordeiras,
e as cordeiras a ela.

Gilberto E os Santos de saúde todos,
a Deus louvores?

Serafim Si.

Gilberto E que léguas haverá
daqui à porta do Paraíso,
onde São Pedro está?

Nabor Lá vêm ó redor das vinhas
compradores a comprar samica
ovos e galinhas.

Dorotéia Não lhe hei de vender as minhas,
que as trago pera dar.

Vêm dous compradores, um per nome Vicente e outro Mateus, e diz Mateus a Justina:

Mateus Vós rosa do amarelo,
mana, tendes i queijadas.

Justina Tenho vosso avô marmelo!
Conhecei-lo?

Mateus Aqui estão emborilhadas.

Justina Esta de má hora quedo,
pela vossa negra vida.

Mateus Menina, não hajais medo:
vós sois mais engrandecida
que Branca de Figueiredo.
Se trazeis ovos, meus olhos,
não m'os vendais a ninguém.

Justina Andar em burra e ter bem:
ouvide ora o rasca-piolhos
(azeite no micho!)
em que vem!

Vicente Minha vida, Leonarda,
traz caça pera vender?

Leonarda – Vossa vida negra e parda
não lhe abastará comer
da vaca com da mostarda?

Vicente E a mesa de meu senhor
irá sem ave de pena?

Leonarda Quem? E vós sois comprador?
Pois nem grande nem pequena
não matou o caçador.

Vicente Matais-me vós logo bem
com dous olhinhos qu'eu digo.

Leonarda Mais vos mata a vós o trigo,
porque não vale a vintém,
e traz mau micho consigo.

Vicente Vós fazeis de mi rascão.

Leonarda Pação vos fizestes vós;
porém bem nos vimos
nós guardar bois no Alqueidão.

Mateus Que vindes vender à feira,
Teodora, alma minha?
minha alma, minha canseira?
Trazei alguma galinha?

Teodora São vossa alma galinheira.
Que má hora cá viestes
pera quem vos pôs no paço!

Mateus Senhora, eu vos faço,
que vos agastais tão prestes?
Dizei-me vós, Teodora,
trazeis vós tal cousa e tal
deste jeito, muito embora?
Mas lá dessoutro metal
não falam à lavradora.

Vicente Senhora Moneca,
trazeis algum cabrito recente?

Moneca Não bofé, Senhor Vicente:
quisera ora trazer três,
de que vós foreis
contente.

Vicente Juro à Santa Cruz de palha
qu' hei de ver o que aqui está.

Moneca Não revolvais aramá,
que não trago nem migalha.

Vicente Não me façais descortês,
nem queirais ser tão garrida.

Moneca Pela vossa negra vida!
Olha de como é cortês!
Oh, que lhe saia má saída.

Mateus Giralda, eu achar-vos-ei
dous pares de passarinhos?

Giralda Irei por eles aos ninhos,
entonces os venderei.
Comereis vós estorninhos?

Mateus Respondeis como mulher
muito de sua vontade.

Giralda Pois digo-vo-la verdade:
pássaros hei de vender?
Olhai aquela piedade!

Vicente Senhora minha Juliana
peço-vos que me faleis
discreta palenciana,
e dizei-me que vendeis.

Juliana Vendo favas de Viana.

Vicente Tendes alguns laparinhos?

Juliana Sim, de porca.

Vicente Nem coelhos?

Juliana Quereis comprar
dous francelhos,
pera caçardes ratinhos?

Juliana Quero, pelos Evangelhos!

Mateus Vós, Tesaura, minha estrela,
não viríeis cá em vão.

Tesaura Pois si, vossa estrela vos er'ela:
como aquilo é de rascão!

Mateus Mas como isso é de donzela!
Porém vá já como vai,
e casemo-nos, senhora.

Tesaura Pois casai co'ele, casai,
Casar, má hora, meu ai,
casar, má hora.

Mateus Porém trazeis algum pato?

Tesaura E quanto dareis por ele?
Hui, e ele revolve o fato:
olho mau se meta nele.

Mateus Não trazeis vós o qu'eu cato.

Vicente Merenciana deve ter
neste cesto algum cabrito.
Não m'haveis de revolver

Merenciana Senão, pardeus, que dê grito
tamanho, que haveis de ver.

Vicente Eu hei de ver que trazeis.

Merenciana Se vós no cesto bulis…

Vicente Senhora, que me fareis?

Merenciana Um aqui-d'el-rei, ouvis?
Não sejais vós descortês.

Vicente Não quero senão amores,
pois vosso, senhora, sou.

Merenciana Amores de vosso avô,
o da ilha dos Açores.
Andar aramá vós só.

Mateus Vamo-nos daqui, Vicente.

Vicente Bofé vamos.

Mateus Nunca vi tal feira.

Vicente Vamos comprar à Ribeira,
que anda lá cousa mais quente.

Vão-se os compradores, e diz o Serafim às moças:

Serafim Vós outras quereis
comprar das virtudes?
Senhor, não.

Serafim Saibamos por que razão.

Doroteia Porque no nosso lugar
não dão por virtudes pão.
Nem casar não vejo eu
por virtudes a ninguém.
Quem tiver muito de seu,
e tão bons olhos com'eu
sem isso casará bem.

Serafim Pois por que viestes
ora cansar à feira de pé?

Teodora Porque nos dizem que é
feira de Nossa Senhora:
e vedes aqui porquê.
E as graças que dizeis
que tendes aqui na praça,
se vós outros as vendeis,
a Virgem as dá de graça
aos bons, como sabeis.

E porque a graça e alegria,
a madre da consolação
deu ao mundo neste dia,
nós vimos com devoção
a cantar-lhe uma folia.
E pois que já descansamos
assi em boa maneira,
moças, assi como estamos,
demos fim a esta feira,
primeiro que nos partamos.

Alevantam-se todas, e ordenadas em folia cantaram a cantiga seguinte, com que se despediram.

Cantiga

I Coro
"Blanca estais colorada,
"Virgem sagrada.
"Em Belém vila do amor
"da rosa nasceu a flor:
"Virgem sagrada."

II Coro
"Em Belém vila do amor
"nasceu a rosa do rosal:
"Virgem sagrada."

I Coro
"Da rosa nasceu a flor:
"pera nosso Salvador:
"Virgem sagrada."

II Coro
"Nasceu a rosa do rosal,
"Deus e homem natural:
"Virgem sagrada."

Gratias agamus
Domino Deo nostro

FIM